Enciclopedia Juvenil

EL CUERPO HUMANO

BIBLIOTECA JUVENIL DEL CUERPO HUMANO

Tomo 3
«El sistema nervioso»

Autor: Equipo Multilibro

Textos: Ramón Llobet
Ilustraciones: Ángel Segura, Manel Lorente, Jordi Segú,
Jordi Sabat, Francesc Martínez, Carlos De Miguel,
María Gracia, Francesc Ràfols, Toni Dalmau y Estudios Telos
Corrección técnica: Dr. Joan Tañà Solà
Dirección general: José Mª Parramón Homs
Dirección de edición: Antoni Inglés
Edición y diseño gráfico: Rosa Mª Moreno
Dirección de producción: Rafael Marfil

Depósito legal B-1816-91
Impreso por Sorpama, S.A.
ISBN obra completa 958-04-1352-5
ISBN Tomo 3: 958-04-1355-X

3

Enciclopedia Juvenil

EL CUERPO HUMANO

EL SISTEMA NERVIOSO

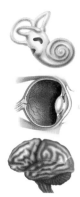

GRUPO
EDITORIAL **norma**

La computadora del cuerpo humano

Las partes del sistema nervioso

El sistema nervioso es como una compleja computadora, que dirige y coordina todas las funciones del organismo.

Para comprender mejor su complicada estructura, se acostumbra a dividirlo en dos partes: *sistema nervioso central* y *sistema nervioso periférico*.

■ **El sistema nervioso central.** Está formado por el encéfalo y por la médula espinal.

El encéfalo es la «central de mando» de nuestro organismo, el procesador de datos más potente que existe; recibe información de todo el cuerpo y envía las órdenes correspondientes a través de la médula espinal.

■ **El sistema nervioso periférico.** Conecta el sistema nervioso central con los órganos de los sentidos y con otros órganos del cuerpo por medio de una complicada red de nervios. Se divide en: *sistema nervioso cerebroespinal*, que regula y controla los movimientos de los músculos esqueléticos y el *sistema nervioso autónomo*, que regula de modo automático el funcionamiento de varios órganos y sistemas, como el corazón, el estómago, los músculos respiratorios, etc.

Para llevar a cabo sus funciones, el *sistema nervioso autónomo* utiliza dos vías: el *sistema nervioso simpático* y el *sistema nervioso parasimpático*.

En este tomo y en el siguiente, podrás conocer qué funciones desempeña en nuestro organismo cada una de las partes del sistema nervioso.

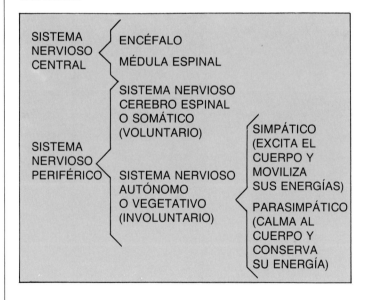

Como podrás comprobar nuestro sistema nervioso es tan complicado, que resulta imposible representarlo en su totalidad. Para que tengas una idea global de su estructura, te la resumimos en el cuadro sinóptico de esta página y en el esquema de la página siguiente, en el que, de un modo muy convencional, están representadas las principales vías y centros nerviosos.

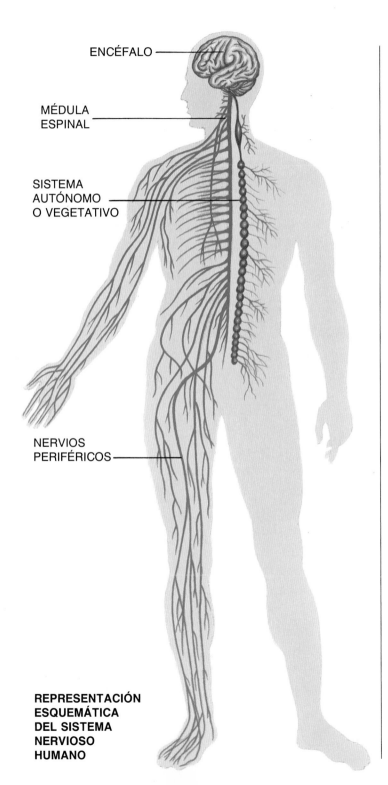

ENCÉFALO

MÉDULA
ESPINAL

SISTEMA
AUTÓNOMO
O VEGETATIVO

NERVIOS
PERIFÉRICOS

**REPRESENTACIÓN
ESQUEMÁTICA
DEL SISTEMA
NERVIOSO
HUMANO**

El sistema nervioso central

El sistema nervioso central está formado por el *encéfalo* y por la *médula espinal.*

El encéfalo

El encéfalo es la parte del sistema nervioso central que se encuentra en el interior del cráneo. Está formado por diferentes órganos:

■ **El cerebro.** Es la parte más voluminosa del encéfalo y ocupa casi toda la cavidad craneal.

■ **El cerebelo.** Es un órgano más pequeño que el cerebro, situado detrás de éste en la parte baja del cráneo, y su principal función es la de regular el equilibrio y coordinar los movimientos.

■ **La protuberancia.** Está situada entre el cerebelo y el bulbo raquídeo y es un lugar de paso de numerosas vías nerviosas.

■ **El bulbo raquídeo.** Se encuentra entre la protuberancia y la médula espinal y por su interior circulan todas las vías nerviosas que van del resto del encéfalo a la médula. En él se regulan funciones vitales del organismo, como los movimientos del corazón o la respiración.

La médula espinal

La médula espinal es la «red de distribución» que comunica el sistema nervioso central con todo el cuerpo.

Se encuentra situada en el interior de la columna vertebral, en el llamado *conducto raquídeo,* y de ella salen todos los nervios que forman el sistema nervioso periférico.

El cerebro, nuestro órgano más valioso

A pesar de sus importantes funciones, el cerebro no es un órgano muy grande. Pesa unos 1.300 g en el hombre y alrededor de 1.200 en la mujer, lo que no significa, desde luego, que ésta sea menos inteligente.

El cerebro tiene forma oval y una superficie muy rugosa, en la que existen unas hendiduras mayores, llamadas *cisuras*, y otras menores, denominadas *surcos*.

El cerebro presenta una cisura longitudinal grande, llamada *cisura interhemisférica*, que lo divide en dos mitades: el **hemisferio derecho** y el **hemisferio izquierdo**.

Cada hemisferio está dividido lateralmente por dos cisuras: la *cisura de Rolando* y la *cisura de Silvio*. En el cerebro distinguimos cuatro partes o lóbulos, que se designan con el nombre del hueso del cráneo que los recubre: *lóbulo frontal, parietal, temporal* y *lóbulo occipital*.

En el cerebro contamos diversas capas:

■ **La corteza cerebral.** Es una capa delgada que recubre el cerebro, formada por los *cuerpos* de las células o neuronas. La corteza cerebral se llama también *sustancia gris*.

■ **La sustancia blanca.** Forma el resto del tejido cerebral y está compuesta por las *dendritas* o prolongaciones de las células.

■ **El cuerpo calloso.** Situado en la parte interna, entre los dos hemisferios, está formado por numerosas vías nerviosas.

■ **Los ventrículos cerebrales.** Son cuatro cavidades comunicadas entre sí, en cuyo interior hay *líquido cefalorraquídeo*.

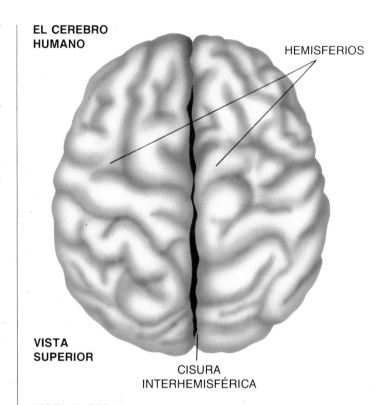

EL CEREBRO HUMANO

HEMISFERIOS

VISTA SUPERIOR

CISURA INTERHEMISFÉRICA

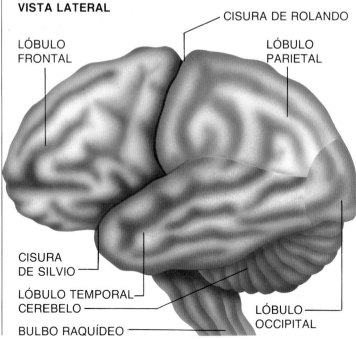

VISTA LATERAL

CISURA DE ROLANDO

LÓBULO FRONTAL

LÓBULO PARIETAL

CISURA DE SILVIO

LÓBULO TEMPORAL

CEREBELO

LÓBULO OCCIPITAL

BULBO RAQUÍDEO

¿Sabías que...

...cada especie animal tiene un cerebro distinto?

Nuestra corteza cerebral está muy desarrollada en relación a la de los animales. Si la comparamos, por ejemplo, con la del chimpancé —aun siendo éste de los animales más inteligentes—, la corteza del cerebro humano tiene muchas más células o neuronas.

Cuanto menor es el desarrollo *evolutivo* alcanzado por un animal, más sencillo es su cerebro.

Los insectos poseen varios centros nerviosos independientes y no tienen un cerebro o centro nervioso principal, como sucede con los vertebrados.

En los peces, el encéfalo está casi exclusivamente formado por los centros nerviosos del olfato y del gusto, mientras que en el de las aves, los centros del olfato tienen poca importancia y los de la visión son de mayor tamaño.

El cerebro de los reptiles presenta dos hemisferios, como el del ser humano.

Pero el cerebro de mayor tamaño es el de los mamíferos; en la mayoría, la corteza cerebral es lisa, pero en animales más evolucionados, como el chimpancé, se incrementan los pliegues y surcos de la corteza.

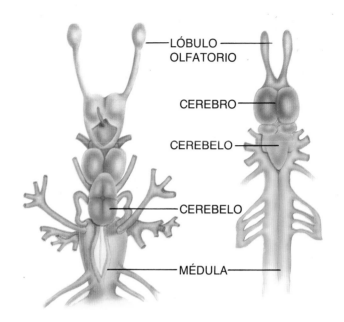

CEREBRO DE UN TIBURÓN

CEREBRO DE UN REPTIL

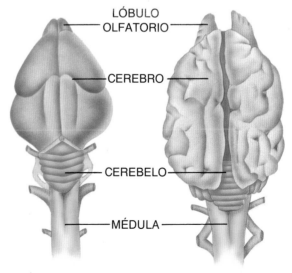

CEREBRO DE UN AVE

CEREBRO DE UN MAMÍFERO

Las otras partes de la central de mando

En el encéfalo, además del cerebro, hay otras partes de menor tamaño que desempeñan también funciones muy importantes del sistema nervioso central. Son, como sabes, el *cerebelo*, la *protuberancia* y el bulbo *raquídeo*.

El cerebelo: la coordinación

El cerebelo es un pequeño órgano, situado en la parte posterior del cráneo o cavidad craneal, debajo de los lóbulos occipitales del cerebro, que, como hemos visto, se hallan en la parte posterior de la cabeza.

Igual que el cerebro, el cerebelo está formado por dos capas de tejido: una capa externa o corteza, de sustancia gris, y una capa interna, de sustancia blanca. También está dividido en dos hemisferios, derecho e izquierdo, y en la corteza hay numerosos pliegues y surcos.

El cerebelo es básicamente un *coordinador* de las funciones del cerebro y de otras partes del encéfalo. Trabaja automáticamente, para que las órdenes procedentes del resto del encéfalo se efectúen sin brusquedades.
• Coordina los movimientos de las distintas partes del aparato locomotor.
• Coordina el equilibrio. Contribuye al mantenimiento del equilibrio para que dichos movimientos se realicen con precisión.

Para coordinar, por ejemplo, los movimientos de las piernas para andar, correr, etc., «compara» la posición del cuerpo con la posición que ordena el cerebro y, con el fin de conservar el equilibrio, determina en qué

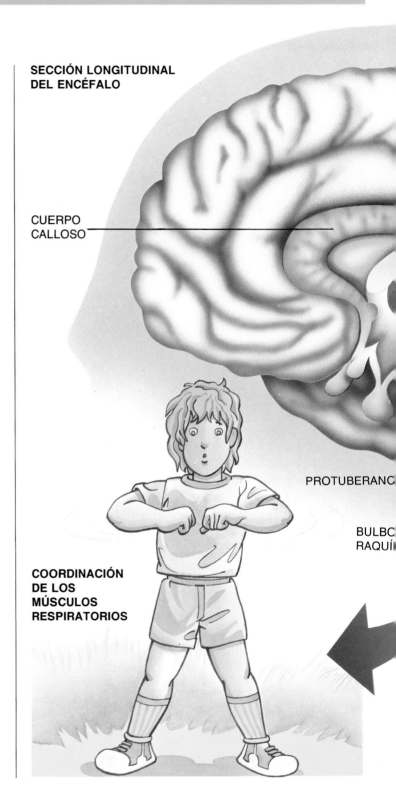

SECCIÓN LONGITUDINAL DEL ENCÉFALO

CUERPO CALLOSO

PROTUBERANC

BULBO RAQUÍ

COORDINACIÓN DE LOS MÚSCULOS RESPIRATORIOS

CEREBRO

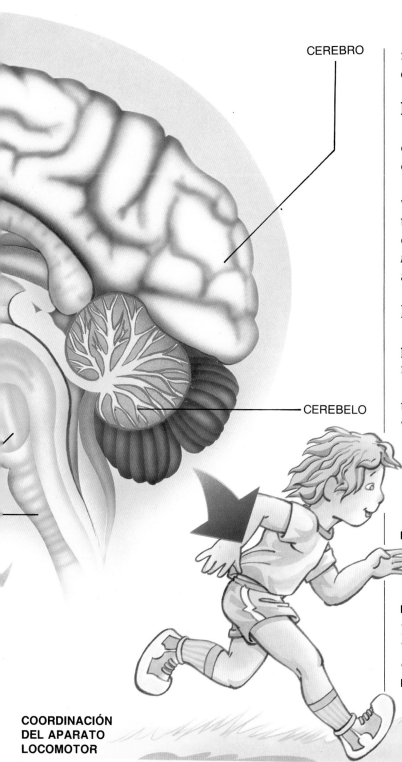

CEREBELO

**COORDINACIÓN
DEL APARATO
LOCOMOTOR**

momento, antes de levantar un pie, el peso del cuerpo tiene que empezar a trasladarse al otro pie.

La protuberancia: la transmisión

La protuberancia está situada también debajo de los lóbulos occipitales del cerebro, por delante del cerebelo.

Está formada por un numeroso conjunto de vías nerviosas y actúa como estación de transmisión de las *vías sensitivas*, que se dirigen desde todo el cuerpo al encéfalo, y de las *vías motoras*, que van desde el cerebro y el cerebelo a la médula espinal.

El bulbo raquídeo: el centro regulador

El bulbo raquídeo es una prolongación de la protuberancia y enlaza directamente con la médula espinal.

Como la protuberancia, el bulbo raquídeo es también una zona de conducción de numerosas vías nerviosas.

Pero el bulbo raquídeo se ocupa además de regular importantes funciones involuntarias del organismo, que no dependen de nuestra voluntad. Estas funciones se realizan a través de tres centros reguladores:

■ **El centro respiratorio.** Coordina la frecuencia de los movimientos de los músculos respiratorios, en función de la mayor o menor existencia de oxígeno en la sangre.

■ **El centro vasomotor.** Regula la contracción y la dilatación de los vasos sanguíneos, según varios estímulos, como el calor, el frío, el ejercicio físico, etc.

■ **El centro del vómito.** Cuando este centro es estimulado por diversas causas, como trastornos del aparato digestivo o la repugnancia debida a malos olores o sabores, se provoca el vómito.

La médula espinal

La médula espinal forma, con el encéfalo, el sistema nervioso central. Comienza en el orificio *occipital* del cráneo, donde se une directamente al bulbo raquídeo, y llega hasta las *vértebras lumbares*.

La médula espinal es la vía de comunicación del sistema nervioso central; y como es una vía con mucho «tráfico», tiene un doble sentido de circulación: *la circulación sensitiva*, que desde todo el cuerpo conduce estímulos hacia el encéfalo, y la circulación *motora*, que lleva las órdenes del encéfalo a todo el organismo, en cada caso hasta el órgano específico que debe actuar.

El tejido que forma la médula espinal se compone básicamente de:

■ **Células nerviosas.** Llamadas neuronas, forman también el tejido del encéfalo; te describiremos su estructura en las próximas páginas.

En cada célula nerviosa, o neurona, hay varias prolongaciones que la comunican con otras neuronas, formando las vías nerviosas y los centros nerviosos del complejo entramado conectado a los «centros de mando» del encéfalo, como el cerebro y el cerebelo.

■ **Fibras nerviosas.** Son prolongaciones de las células que salen de la médula espinal y pasan a través de los *orificios intervertebrales*, los agujeros que hay entre las vértebras, en la columna vertebral.

Las órdenes que parten del encéfalo llegan a través de las neuronas y de sus prolongaciones a la médula espinal y desde ésta son transmitidas por las fibras nerviosas o *nervios* a todo el organismo.

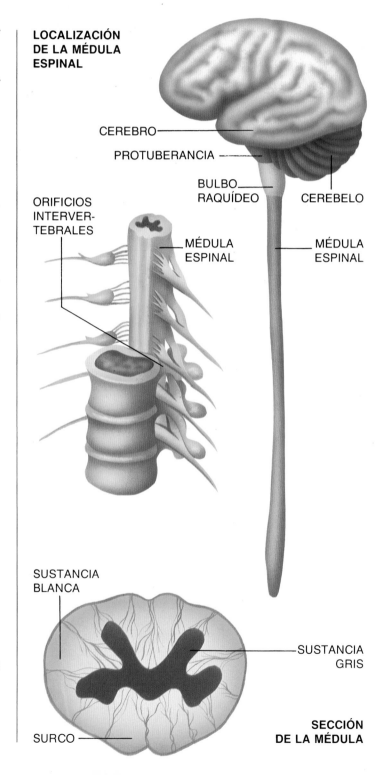

LOCALIZACIÓN DE LA MÉDULA ESPINAL

CEREBRO

PROTUBERANCIA

BULBO RAQUÍDEO

CEREBELO

ORIFICIOS INTERVERTEBRALES

MÉDULA ESPINAL

MÉDULA ESPINAL

SUSTANCIA BLANCA

SUSTANCIA GRIS

SURCO

SECCIÓN DE LA MÉDULA

Dos órganos muy bien protegidos

El encéfalo y la médula espinal son partes de nuestro cuerpo muy bien protegidas.

Cómo está protegido el encéfalo

■ **Por el cráneo**, una sólida estructura ósea, que es como la caja fuerte que guarda uno de los mayores tesoros de nuestro organismo.

■ **Por las meninges**, unas membranas muy delgadas, gracias a las cuales el encéfalo no está en contacto directo con los huesos del cráneo.

Del exterior al interior del encéfalo, son: la duramadre, la aracnoides y la piamadre.

La infección de las meninges causa una enfermedad muy dolorosa: la *meningitis*.

■ **Por el líquido cefalorraquídeo.** Es un líquido segregado por los cuatro ventrículos cerebrales, que se encuentra entre las dos meninges internas, la piamadre y la aracnoides.

Si no fuera por este líquido, cualquier pequeño golpe en la cabeza repercutiría gravemente sobre el encéfalo.

Cómo está protegida la médula espinal

■ **Por la columna vertebral.** La médula espinal se halla en el interior de la columna vertebral sólidamente protegida por las vértebras.

■ **Por las meninges.** También son tres: la duramadre, la aracnoides y la piamadre.

■ **Por el líquido cefalorraquídeo.** Como en el encéfalo, se halla entre la piamadre y la aracnoides; actúa también como protección y nutre el tejido de la médula.

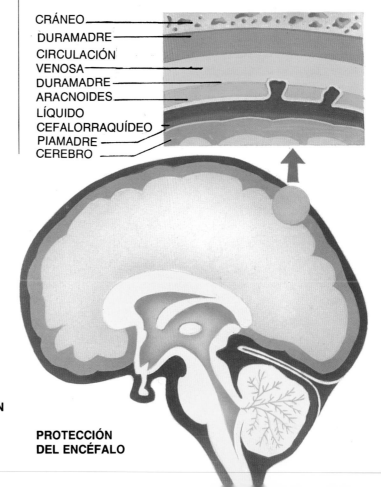

CRÁNEO
DURAMADRE
CIRCULACIÓN VENOSA
DURAMADRE
ARACNOIDES
LÍQUIDO CEFALORRAQUÍDEO
PIAMADRE
CEREBRO

ARACNOIDES
DURAMADRE
PIAMADRE
NERVIO ESPINAL
VÉRTEBRA

PROTECCIÓN DE LA MÉDULA ESPINAL

PROTECCIÓN DEL ENCÉFALO

Los centros del apetito y de la sed

En la base del cerebro, hay dos pequeñas zonas, que regulan importantes funciones «automáticas» del organismo.

Estas zonas del cerebro son el *tálamo* y el *hipotálamo*.

El tálamo

El tálamo está constituido sólo por sustancia gris y forma una especie de pequeñas bolas, situadas debajo de cada hemisferio del cerebro.

Actúa como una «estación de transmisión intermedia», donde se analizan y relacionan los *impulsos* con cada órgano de los sentidos antes de transmitirlos a la corteza cerebral y hacerlos conscientes.

El hipotálamo

Está formado por grupos de células; cada uno de estos grupos forma los llamados *núcleos hipotalámicos*.

Cada núcleo dirige funciones vitales del organismo, como la temperatura del cuerpo, el apetito, la sed, el sueño, los latidos del corazón, etc.

Para llevar a cabo sus importantes funciones, el hipotálamo está conectado con otras zonas del sistema nervioso y a través de ellas, recibe y transmite mensajes de la corteza cerebral a los órganos de los sentidos, al aparato digestivo, etc.

Otra función del hipotálamo es la de regular algunas de las funciones de la *hipófisis*, una glándula que segrega importantes *hormonas*, como la hormona del crecimiento, la hormona que estimula los melanocitos, etc.

LOCALIZACIÓN DEL TÁLAMO, DEL HIPOTÁLAMO Y DE LA HIPÓFISIS

El tálamo y el hipotálamo están situados, en la masa encefálica, entre el llamado cuerpo calloso, la protuberancia y el bulbo raquídeo. Más abajo, en la cavidad del hueso esfenoides llamada «silla turca», está situada una de las glándulas más importantes de nuestro organismo: la hipófisis.

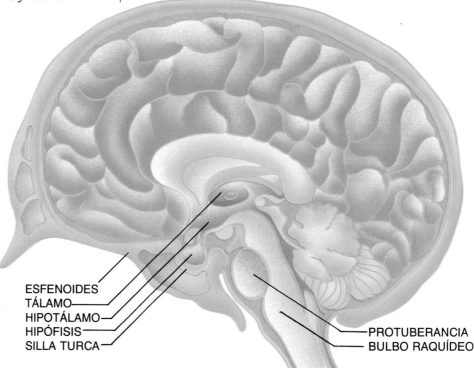

ESFENOIDES
TÁLAMO
HIPOTÁLAMO
HIPÓFISIS
SILLA TURCA
PROTUBERANCIA
BULBO RAQUÍDEO

Las células del sistema nervioso

El tejido que forma el cerebro y las otras partes del encéfalo, así como la médula espinal, es *tejido nervioso*, compuesto por *células nerviosas*.

Las células nerviosas se llaman **neuronas**. Están formadas por un cuerpo central llamado soma o *cuerpo de la célula* y por prolongaciones, llamadas *dendritas*.

Los cuerpos de las neuronas tienen formas y tamaños muy variados, pero todas las células poseen prolongaciones o dendritas: algunas, una; otras, dos, y otras, la mayoría, muchas.

Las dendritas son parecidas a cortas y pequeñas raíces muy ramificadas.

Sólo una fibra de cada célula es más larga que las otras. Se llama *axón* y es una prolongación más gruesa que comunica unas células con otras, formando las vías de comunicación nerviosas.

Las sensaciones de dolor, calor, frío, olor, sabor, etc., y las órdenes a todo el organismo entran y salen del encéfalo y de la médula espinal a través de una densa red de «cables telegráficos y eléctricos»: los nervios.

En el cerebro, la corteza o sustancia gris está compuesta sólo por los cuerpos de las neuronas, mientras que las ramificaciones de las células o axones forman el tejido de la sustancia blanca, que constituye la mayor parte del cerebro.

En la médula espinal, sucede al revés: la sustancia blanca, formada por las prolongaciones de las neuronas está en el exterior, mientras que la sustancia gris se encuentra en el interior.

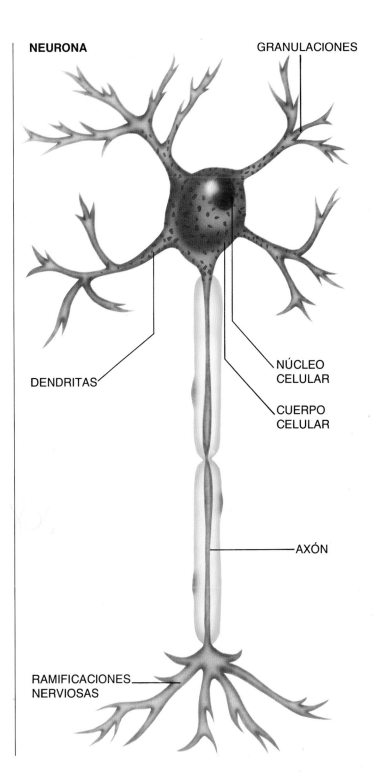

NEURONA

GRANULACIONES

DENDRITAS

NÚCLEO CELULAR

CUERPO CELULAR

AXÓN

RAMIFICACIONES NERVIOSAS

Los centros nerviosos del cerebro

El cerebro recibe información de los órganos de los sentidos, ordena y coordina el movimiento de los músculos voluntarios y dirige todas las funciones del organismo.

En el cerebro residen además las facultades que nos permiten llamarnos seres humanos: la inteligencia, la voluntad, la memoria, etc.

Tal vez te parezca imposible que todo ello pueda deberse a un órgano de apenas un kilo y medio de peso y saber, además, que tan importantes funciones no dependen de toda la masa cerebral.

Como hemos explicado, la corteza es la cubierta exterior del cerebro, compuesta por sustancia gris, y es a ella y sólo a ella que llegan muchos de los estímulos que transmiten las vías nerviosas.

La sustancia gris está formada por más de diez mil millones de células o neuronas, una cantidad realmente asombrosa, pero que apenas representa el diez por ciento del número total de células existentes en el encéfalo.

Tan sólo entre 4,5 y 1,5 mm de sustancia gris, según la zona del cerebro, forman la corteza cerebral. Es en esta delgada capa, en los llamados centros nerviosos, donde se interpretan, registran y almacenan las sensaciones procedentes de los sentidos, donde se controlan y regulan los movimientos del cuerpo y donde residen la inteligencia, la voluntad, la memoria…

Algunos de estos *centros nerviosos* están localizados en lóbulos o partes concretas del

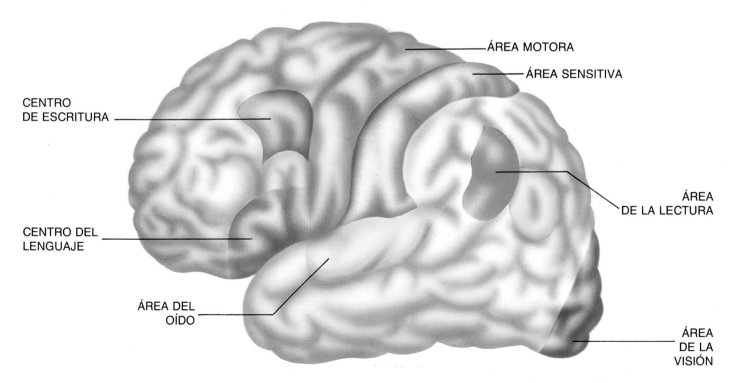

ÁREA MOTORA

ÁREA SENSITIVA

CENTRO DE ESCRITURA

ÁREA DE LA LECTURA

CENTRO DEL LENGUAJE

ÁREA DEL OÍDO

ÁREA DE LA VISIÓN

cerebro, pero otros se hallan distribuidos por toda la corteza cerebral.

■ **Centros nerviosos de los sentidos.** En cada lóbulo occipital, en la zona de la nuca, se halla el *centro de la visión*; en el lóbulo temporal, el *centro de la audición* y el *centro del olfato*, y en el lóbulo parietal, el *centro del tacto*. En el lóbulo frontal está la sede del centro que «elabora» el pensamiento.

Junto a cada uno de estos centros, hay un archivo o «centro de la memoria», relacionado con cada sentido.

El centro de la memoria visual podemos compararlo a un archivo fotográfico, en el que existe una ficha con la imagen de cada objeto que conocemos y bajo ésta, su nombre. Las fichas de los objetos que estamos viendo salen del archivo y así podemos reconocerlos y recordar su nombre.

■ **Centros nerviosos de los músculos voluntarios.** La zona que recibe los *estímulos* del sistema muscular sujeto a nuestra voluntad, se llama área sensitiva y la zona de donde parten las órdenes para mover uno o varios músculos, se llama área motora.

Las áreas sensitiva y motora de los músculos voluntarios se encuentran en los lóbulos parietal y frontal, respectivamente. Los centros nerviosos de las dos áreas dirigen distintos músculos, comenzando, en la parte superior del lóbulo, por los de los dedos de los pies y los de las piernas y finalizando con los músculos de la cabeza.

■ **Las facultades intelectuales.** La corteza cerebral es también la sede del pensamiento y de nuestras facultades intelectuales, como la inteligencia, el lenguaje, la memoria, etc., algunas de las cuales se localizan en los lóbulos frontales y, otras, no tienen una localización exacta.

Un kilo y medio de inteligencia

Es difícil decir qué es la inteligencia, pues abarca un conjunto de aptitudes, como el conocimiento, el razonamiento, la comprensión, es decir, las facultades que nos permiten *pensar* y *decidir*.

Todas estas facultades, englobadas bajo el nombre de *facultades intelectuales*, así como otras que se manifiestan como emociones o sentimientos —el miedo, la cólera, la alegría, la tristeza…— no son aptitudes localizadas en zonas concretas de la corteza cerebral.

Se forman por la acción coordinada de diversas zonas, como los *centros de los sentidos*, que descifran lo que vemos, lo que oímos, etc., y la *memoria* de cómo debemos actuar, que no está localizada en una zona concreta.

Para «medir la inteligencia» se pueden utilizar los llamados **tests de inteligencia**. Consisten en diversas pruebas o tests, con los que se obtiene la *edad mental* de una persona, es decir, el desarrollo de su inteligencia.

Dividiendo esta edad mental por la *edad cronológica* y multiplicando el resultado por cien, se obtiene el **cociente intelectual** (CI).

El cociente intelectual debe tomarse como una orientación para los padres, educadores y psicólogos. Los tests de inteligencia son útiles sobre todo para detectar casos de *retraso mental* (CI menor de 70) o, en el extremo contrario, de *niños superdotados* (CI superior a 130) y para ayudar a niños que tienen dificultades para aprender.

Marcos y Yolanda están realizando un test de inteligencia, cosa que les tiene un poco preocupados. La verdad es que no les gustaría ni pizca obtener una puntuación baja y que les creyeran poco inteligentes. Sin embargo, lo único que pretenden sus educadores, es obtener datos sobre la edad mental de sus alumnos para poder adaptar sus enseñanzas al Coeficiente Intelectual de cada uno de ellos.

¿Sabías qué...

...animales son más inteligentes?

Tanto hombres como animales somos el resultado de una *evolución*. Esto significa que en unos y en otros se han ido produciendo cambios a lo largo de milenios y que aunque en algunos aspectos los hombres y los animales somos iguales, nuestro cerebro y los sentidos de los animales han evolucionado de forma distinta.

Es corriente opinar que unos animales son más inteligentes que otros.

Los científicos han llegado a la conclusión de que los animales más inteligentes son el chimpancé, la ballena, el delfín, el perro y el gato.

Sin embargo, cuando hablamos de animales inteligentes, estamos, en realidad, refiriéndonos a su capacidad para aprender, como el ratón que encuentra la salida de un laberinto a costa de buscarla una y otra vez.

La inteligencia humana es mucho más: es la capacidad de *pensar*, *entender*, *razonar* y *decidir*.

Una de las cosas que distingue al hombre civilizado es (o debería ser) su amor y respeto por los animales. Son seres sensibles al dolor y no tenemos ningún derecho a hacerlos sufrir inútilmente. Piensa, además, que algunos de los animales que llamamos irracionales manifiestan, a su manera, un cierto nivel de conciencia. Algunos, como los simpáticos chimpancés, son capaces de solucionar elementales test de inteligencia: memorizan formas geométricas, pueden relacionar formas y colores, etc. Algunos estudiosos de la psicología del comportamiento, incluso les atribuyen la facultad de expresar sentimiento.

El baúl de los recuerdos

La memoria es una de las funciones principales del cerebro. Sin memoria, no podríamos aprender nada ni obtendríamos ningún provecho de la experiencia.

La memoria no está localizada en una zona concreta de la corteza cerebral. Lo que hemos aprendido se distribuye en infinidad de neuronas, todas relacionadas entre sí.

Existe, sin embargo, una relación entre las emociones, el sistema límbico, localizado en el lóbulo temporal, y la memoria: recordamos mejor las cosas que nos gustan o, por el contrario, las que son muy desagradables.

El mismo mecanismo sigue el **olvido**, lo contrario de la memoria y que, muchas veces, actúa como una defensa para *borrar* lo que nos causa miedo o angustia.

Se cree que la memoria reside en el núcleo de las células o neuronas, que no experimentan ninguna transformación cuando algo se almacena en la *memoria a corto plazo*, pero que sufren cambios químicos cuando se archiva en la *memoria a largo plazo*.

■ **La memoria a corto plazo.** Nos permite recordar lo que, en un momento dado, estamos estudiando, un número de teléfono durante un breve período de tiempo, etc.

■ **La memoria a largo plazo.** Archiva la síntesis de lo que hemos estudiado, almacena el recuerdo de una experiencia importante, etc.

La memoria a largo plazo puede durar toda la vida. Algunas personas ancianas, por ejemplo, recuerdan cosas que sucedieron hace muchos años y, sin embargo, han olvidado totalmente lo sucedido el día anterior.

Clara escucha embelesada el relato de su abuelito. ¡Qué memoria la suya! Puede recordar sus «hazañas» de cuando era joven con tanto detalle, que parece como si aquella copa de campeón la hubiese ganado ayer. ¡Son las maravillas de la memoria a largo plazo!

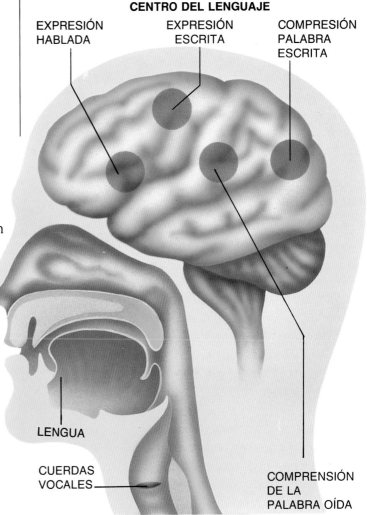

El pensamiento y la palabra

La facultad de hablar, es decir, la capacidad para convertir ideas en palabras es única de los seres humanos.

Tal vez estés pensando que algunos animales, como los loros, poseen la capacidad de emitir sonidos, con los que imitan la palabra humana.

Incluso si se adiestran durante algún tiempo, pueden pronunciar frases completas y utilizarlas para responder ante determinadas preguntas.

Sin embargo, no pueden usar esas palabras como un verdadero lenguaje y, mucho menos, *inventar* otras palabras, cosa que un niño de tres o cuatro años es perfectamente capaz de hacer.

La facultad de hablar del ser humano no consiste sólo en su capacidad para emitir palabras (sonidos articulados), sino fundamentalmente en su capacidad para crear un lenguaje (hablado o escrito) en el que las palabras simbolizan o expresan *ideas* concretas (los objetos, por ejemplo) e incluso cosas tan abstractas como una emoción o un sentimiento.

En el proceso del habla, intervienen las zonas de la corteza del cerebro responsables del lenguaje, diversos músculos y los *órganos de fonación*: cuerdas vocales, labios y lengua.

El centro del lenguaje se encuentra en el hemisferio izquierdo del cerebro. Es en este centro donde se forma la idea que cada palabra expresa.

En otra serie de centros cercanos se hallan los archivos de los significados de las palabras. En ellos, se «buscan» las palabras que precisamos para expresar lo que queremos decir.

El siguiente paso es la materialización de esta *idea*, a través de impulsos nerviosos, que hacen actuar a los músculos de la garganta, a las cuerdas vocales, a los labios y a la lengua (lenguaje hablado) o que conducen los músculos de nuestro brazo y mano para trazar los símbolos gráficos que la representan (lenguaje escrito).

CENTRO DEL LENGUAJE

EXPRESIÓN HABLADA

EXPRESIÓN ESCRITA

COMPRESIÓN PALABRA ESCRITA

LENGUA

CUERDAS VOCALES

COMPRENSIÓN DE LA PALABRA OÍDA

¿Cuántas horas necesitas dormir?

Pasamos una tercera parte de la vida durmiendo. Mientras dormimos, el organismo «recarga baterías», recuperándose del gasto de energía que realiza mientras estamos despiertos; los músculos voluntarios reposan y algunos músculos involuntarios, como los respiratorios, trabajan con lentitud.

El reposo del sistema nervioso, sin embargo, sólo es parcial. Cuando dormimos perdemos conciencia de los pensamientos, pero continúa habiendo actividad cerebral.

Mientras dormimos, pasamos por distintas etapas, que se suceden en fases de *sueño profundo* y fases de *sueño ligero*. Éste último se llama sueño REM y es durante estas fases cuando soñamos: si dormimos ocho horas seguidas, soñamos durante cuatro o cinco fases de quince o veinte minutos cada una.

Todos soñamos, aunque no siempre recordemos nuestros sueños. Mientras dormimos, el cerebro trabaja más que nunca; esta actividad produce los sueños, una «descarga» una «válvula de escape» de nuestro subconsciente.

Todos necesitamos dormir, pero no todos precisamos la misma cantidad de sueño. En general, las necesidades de sueño varían con la edad: un recién nacido necesita dormir entre dieciocho y veinte horas diarias, un niño debería dormir entre doce y catorce y un anciano puede tener suficiente con cinco o seis.

18 HORAS

12 HORAS

6 HORAS

¿Sabías que...

...el psicoanálisis descubre la parte oculta de nuestra mentre?

La parte consciente de nuestra mente son aquellos pensamientos e ideas de los que nos damos cuenta; sin embargo, desconocemos totalmente lo que sucede en otra parte de nuestra mente: el subconsciente.

El primero en ocuparse del subconsciente fue Sigmund Freud, un médico nacido en Viena en 1856.

A Freud se le considera el fundador del *psicoanálisis*, la ciencia que intenta estudiar el subconsciente en busca de remedio para ciertas enfermedades mentales que no tenían una causa clara.

A través de largas sesiones de charlas con el paciente, buscó en el subconsciente la causa oculta de la enfermedad: tal vez una experiencia desagradable vivida durante la infancia, que el enfermo había intentado *olvidar*, ocultándola en su subconsciente.

Freud dio también mucha importancia a la interpretación de los sueños, pues creía que cada sueño tiene un significado relacionado con el subconsciente.

Los psicoanalistas actuales tienen opiniones distintas a las de Freud, pero todos coinciden en la enorme influencia del subconsciente sobre nuestra salud física y mental.

Sigmund Freud ha sido, sin duda, una de la grandes personalidades de la ciencia médica. Alabado y atacado por quienes le conocían, el creador del psicoanálisis fue un trabajador infatigable que legó a la posteridad una extensa obra literaria en la que recopiló sus teorías y experiencias con la maestría de un gran escritor. Debido a su condición de judío, tuvo que abandonar Viena y se estableció en Londres, donde murió en 1939.

SIGMUND
FREUD
(1856-1939)

Más vale prevenir que curar

Los trastornos de la personalidad

La personalidad es un conjunto de características que nos hacen distintos a los demás: la inteligencia, la capacidad para emocionarnos, la constitución física, el color de los ojos…, todo ello forma nuestra personalidad.

Nacemos con la mayoría de nuestras características; pero las influencias del ambiente en el que vivimos, sobre todo durante la infancia, son muy importantes en el desarrollo de los caracteres heredados, como, por ejemplo, de la inteligencia.

La familia y luego la escuela tienen una gran influencia en la configuración de los rasgos de la personalidad.

La personalidad tiene mucho que ver con la conducta, es decir, nuestra forma de comportarnos. Por ello, todos los *trastornos de la personalidad* tienen algo en común con la *inadaptación* de la conducta.

Éstos son algunos de los trastornos de la personalidad más comunes:

■ **La depresión.** Casi todas las personas se sienten deprimidas de vez en cuando, pero lo normal es que recuperen la «alegría de vivir». Se convierte en un trastorno de la personalidad o

Por suerte ha desaparecido la antigua idea de que el psiquiatra era un médico para locos. La verdad es que todos estamos expuestos a sufrir alguna enfermedad de naturaleza psíquica y lo inteligente es acudir al especialista de las enfermedades mentales de la misma manera que acudimos al oculista cuando pillamos una conjuntivitis y deseamos que nos curen.

enfermedad mental cuando la depresión es habitual y afecta a la vida normal.

■ **Las fobias.** Las fobias son miedos exagerados. Puede tratarse de miedo a los espacios cerrados *(claustrofobia)*, terror a las alturas *(acrofobia)*, temor a los espacios abiertos *(agorafobia)*, etc.

■ **Las neurosis.** Muchas personas tienen un mayor o menor grado de neurosis, que se traduce en angustias o miedos ante hechos concretos, como un pánico exagerado al avión. En algunos casos, es una falta de adaptación a la realidad, que causa inseguridad o dificultades para relacionarse con los demás.

■ **La esquizofrenia.** Esquizofrenia quiere decir doble personalidad. Las personas esquizofrénicas pierden el contacto con la realidad o se sienten perseguidas y creen ver enemigos por todas partes.

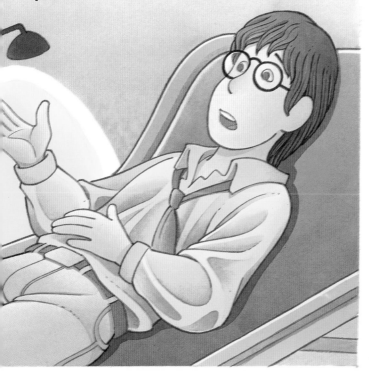

Los médicos de la mente

La *psicología* es la parte de la medicina que se dedica a estudiar la mente humana, como la *fisiología* estudia el cuerpo y su funcionamiento.

La psicología trata de encauzar o modificar la conducta para ayudarnos a conocernos a nosotros mismos.

Tiene una función importante, por ejemplo, en el período escolar. El **psicólogo** puede ayudar al niño a estudiar o a resolver sus problemas con sus compañeros o con su familia, cosa bastante frecuente.

Pero si bien muchos de nuestros hábitos de conducta tienen su origen en causas bien conocidas, otros las tienen escondidas en una parte de nuestra mente, que se llama *subconsciente* y que escapa a nuestro control.

El psicoanálisis es una parte de la psiquiatría que analiza el subconsciente y su influencia en nuestra conducta.

El **psicoanalista** charla con el enfermo para tratar de hallar en el subconsciente de éste las causas de la inadaptación de conducta que le provoca el trastorno mental.

Una forma moderna de técnicas psicológicas es la **psicoterapia**, que se suele realizar con grupos de enfermos.

Algunos de los especialistas en trastornos de la personalidad mencionados pueden ser o no médicos.

El **psiquiatra**, sin embargo, es un médico especialista en enfermedades mentales y trastornos de la personalidad y, como tal, receta medicamentos; mientras que el **neurólogo** es un médico especialista en enfermedades del sistema nervioso.

Un dibujo del cerebro

Es probable que alguna vez hayas oído mencionar la palabra **electroencefalograma**. Esta palabra tan larga define un procedimiento que se utiliza para registrar en un papel la actividad del cerebro.

Los *neurólogos*, que son como sabes los médicos especialistas del sistema nervioso, emplean el electroencefalograma para detectar algunas enfermedades.

Le colocan al paciente unos electrodos en la cabeza, de los que parten sendos cables.

Los extremos contrarios de los cables están conectados a un aparato que amplía las señales procedentes del cerebro y las traslada a un papel.

La línea que aparece en el papel tiene «picos» que suben y bajan. Si estos «picos» suben o bajan mucho, puede existir una enfermedad del sistema nervioso.

El electroencefalograma se ha utilizado también para obtener *gráficos* de las diferentes fases del sueño, que te hemos explicado.

Ello ha permitido comprobar que durante las fases de sueño ligero, es decir, mientras soñamos, la actividad del cerebro es muy grande.

La gráfica del *electroencefalograma* muestra entonces ondas de gran frecuencia, o sea con muchas oscilaciones, llamadas *ondas beta.* En las fases de sueño profundo, aparece una gráfica con pocas oscilaciones, llamadas *ondas delta.*

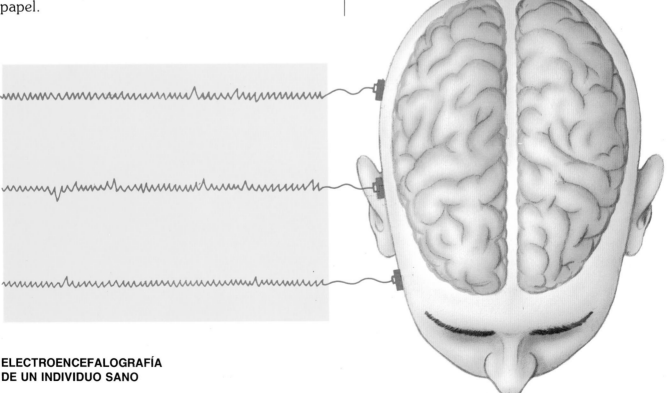

**ELECTROENCEFALOGRAFÍA
DE UN INDIVIDUO SANO**

Algunas enfermedades del sistema nervioso

El dolor de cabeza

Es una *dolencia* muy corriente, llamada también *cefalea* o *cefalalgia*.

Muy a menudo, padecemos dolor de cabeza a causa, por ejemplo, de una excesiva tensión en el trabajo o en los estudios, sobre todo cuando forzamos demasiado la vista.

La mayoría de dolores de cabeza se curan con reposo y con un *analgésico*, como la aspirina.

Las **migrañas** o **jaquecas** son dolores de cabeza muy frecuentes, por lo general siempre en un mismo lado de la cabeza. Suelen ir acompañados por náuseas o vómitos y afectan más a las mujeres que a los hombres.

Cuando los dolores de cabeza son muy frecuentes, pueden ser el síntoma de una enfermedad grave, como la *meningitis*.

La meningitis

La meningitis es una enfermedad que afecta más a los niños y que consiste en una infección de las meninges, las membranas que rodean y protegen el cerebro y la médula espinal.

La meningitis causa dolores de cabeza muy intensos y frecuentes.

Si una persona padece dolores de cabeza habituales y se quiere saber si tiene meningitis, se le extrae un poco de líquido cefalorraquídeo, que se analiza para averiguar si existe infección y si ésta ha sido causada por virus o por bacterias. La infección por bacterias es mucho más grave.

El sistema transmisor del organismo

El sistema nervioso periférico

En el volumen anterior, pudiste conocer las funciones del *sistema nervioso central* y las partes que lo forman: el *encéfalo* y la *médula espinal*.

El encéfalo y la médula espinal son los centros nerviosos de nuestro organismo, comunicados con todo el cuerpo, a través del sistema nervioso periférico.

Puede decirse que el **sistema nervioso periférico** es la parte del sistema nervioso no comprendida en el sistema nervioso central.

Está formado por dos «redes» distintas de nervios, con funciones muy diferentes:

El sistema nervioso cerebroespinal

Conecta el sistema nervioso central con los órganos de los sentidos y con los músculos voluntarios o esqueléticos y en él existen dos grupos distintos de nervios:

■ **Los nervios craneales.** Son doce pares de nervios que salen del encéfalo.
■ **Los nervios espinales.** Son treinta y un pares que salen de la médula espinal.

El sistema nervioso autónomo

También recibe el nombre de *sistema nervioso vegetativo* y actúa como regulador del funcionamiento de los órganos del cuerpo.

Se divide en **sistema nervioso simpático** y **sistema nervioso parasimpático**.

APARATO LOCOMOTOR

SISTEMA NERVIOSO CEREBROESPINAL

APARATO RESPIRATORIO

SISTEMA NERVIOSO AUTÓNOMO

Las partes de un nervio

Los **nervios** están formados por haces o grupos de fibras nerviosas, muy delgadas.

Si viéramos una fibra nerviosa al microscopio, comprobaríamos que tiene una estructura muy compleja, lo que no es extraño dada la importancia de las funciones que desempeñan.

En el volumen anterior, podías ver que la célula nerviosa o *neurona* está formada por muchas ramificaciones cortas, llamadas *dendritas*, y por una prolongación más larga, denominada *axón*, que comunica unas células con otras.

En el encéfalo y en la médula espinal, muchos axones no poseen ningún recubrimiento exterior; los *impulsos nerviosos* pasan de una célula a otra a través de los axones, que aún no forman una verdadera red de nervios.

Es a partir de la salida de la médula espinal cuando se puede empezar a hablar de fibras nerviosas y de nervios.

En una fibra nerviosa hallaríamos las siguientes partes:

■ **El cilindroeje.** Es la parte central de la fibra nerviosa, el axón por donde pasa el impulso nervioso.

■ **La membrana de mielina.** Es la envoltura del cilindroeje, formada por una sustancia grasa: la *mielina*. Las fibras nerviosas más delgadas no siempre tienen esta envoltura.

■ **El neurilema.** Es una membrana muy fina, que recubre la membrana de mielina y el cilindroeje, o sólo éste cuando la mielina no existe.

■ **La membrana externa.** Es una envoltura externa de protección, que recubre todas las capas de la fibra nerviosa.

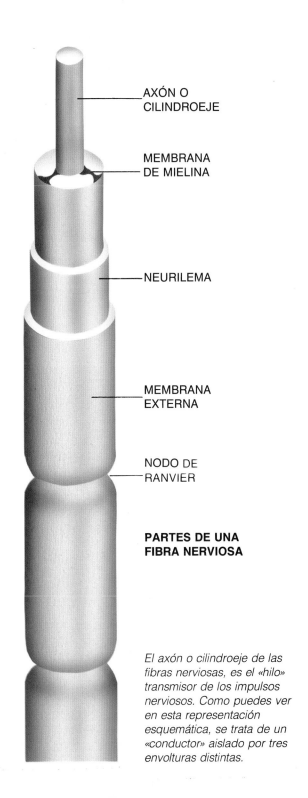

AXÓN O CILINDROEJE

MEMBRANA DE MIELINA

NEURILEMA

MEMBRANA EXTERNA

NODO DE RANVIER

PARTES DE UNA FIBRA NERVIOSA

El axón o cilindroeje de las fibras nerviosas, es el «hilo» transmisor de los impulsos nerviosos. Como puedes ver en esta representación esquemática, se trata de un «conductor» aislado por tres envolturas distintas.

Ser zurdo o ser diestro, es una cuestión que no depende de la voluntad. Es un hecho natural, una característica congénita (de nacimiento) que depende del mayor dominio de uno de los dos hemisferios cerebrales del individuo. Que domine el hemisferio derecho, aunque algo menos frecuente, no es, ni muchísimo menos, una anormalidad. Forzar a un niño zurdo a escribir con la mano derecha, es un tremendo error, tan absurdo como sería obligar a un diestro a escribir con su mano izquierda.

¿Sabías que...

... en los zurdos «domina» el hemisferio derecho del cerebro?

¿De qué depende que la mayoría de personas tenga más facilidad para escribir o realizar tareas delicadas con la mano derecha, y que a otras, en cambio, les resulte más fácil hacerlas con la mano izquierda?

Casi todos los impulsos nerviosos destinados a generar movimiento son elaborados por el cerebro. Se originan en uno de los dos hemisferios en los que, como vimos en el volumen anterior, está dividida la corteza cerebral.

Cada hemisferio dirige la mitad contraria del cuerpo, porque las vías nerviosas se entrecruzan al pasar por el bulbo. Así el hemisferio derecho del cerebro dirige la mitad izquierda del cuerpo, y al revés.

En la mayoría de personas, «domina» el hemisferio izquierdo del cerebro y, por lo tanto, tienen más precisión de movimientos en el lado derecho del cuerpo.

En los zurdos «domina» el hemisferio cerebral derecho, y ésta es la razón de que utilicen la mano izquierda para escribir o para realizar cualquier tarea con la misma precisión con que las personas *diestras* emplean la mano derecha.

32

Cómo viaja el impulso nervioso

Como las demás partes del organismo, el sistema nervioso está formado por unas unidades elementales, llamadas células. Las células del sistema nervioso son, como sabes, las neuronas.

La característica principal de las neuronas es que transmiten unos impulsos electroquímicos, conocidos con el nombre de *corrientes* o *impulsos nerviosos*.

El impulso nervioso viaja a través de los axones o prolongaciones más largas de las células, que en su recorrido por el cuerpo, están agrupados en haces o **nervios**.

Los extremos del axón de una neurona se hallan muy cerca de una dendrita de una neurona cercana, pero sin llegar a tocarse. El impulso nervioso *salta* de una neurona a otra, a través de un sistema de conexión nerviosa, llamado *sinapsis*.

Los impulsos nerviosos se transmiten pasando siempre de un axón a un cuerpo celular (sinapsis entre axón y dendrita).

■ **Neuronas sensoriales o aferentes.** Captan los estímulos del exterior.

Estas neuronas se encuentran sobre todo en los órganos de los sentidos, pero también en otras partes del cuerpo, desde donde envían información acerca del funcionamiento de diferentes órganos.

■ **Neuronas motoras o eferentes.** Realizan una función contraria: transmiten impulsos nerviosos a los músculos y otros órganos, haciendo posible que el organismo dé la respuesta adecuada a los estímulos captados por las neuronas sensoriales.

■ **Neuronas de asociación.** Se encuentran en el cerebro y en la médula espinal; su función consiste en comunicar las diversas partes del sistema nervioso y en conducir los impulsos que viajan entre las neuronas sensoriales o entre las neuronas motoras.

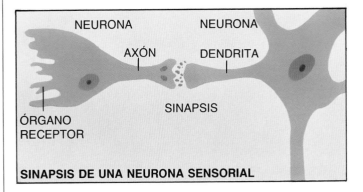

SINAPSIS DE UNA NEURONA SENSORIAL

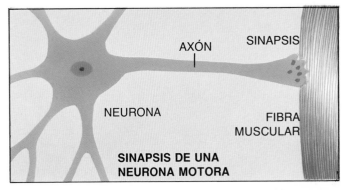

SINAPSIS DE UNA NEURONA MOTORA

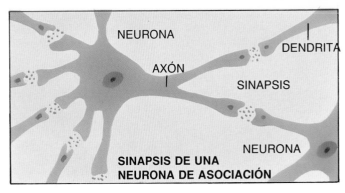

SINAPSIS DE UNA NEURONA DE ASOCIACIÓN

Las clases de nervios

Los impulsos nerviosos que llegan al sistema nervioso central, o salen de él, recorren el sistema nervioso periférico, pasando de una neurona a otra a través de las distintas sinapsis.

Unos grupos de nervios llegan a los órganos de los sentidos, otros a los músculos voluntarios o esqueléticos y otros a diferentes órganos del cuerpo. En cada grupo, hay nervios o fibras nerviosas con funciones diferentes.

Los nervios del sistema nervioso periférico son calles de sentido único. Es decir: mientras unos nervios admiten impulsos nerviosos en un sentido, por otros nervios viajan impulsos de sentido contrario. Así se pueden considerar diferentes clases de nervios:

■ **Sensitivos.** Llevan sensaciones y estímulos desde todo el cuerpo a los centros nerviosos, es decir, al encéfalo o la médula espinal. Son los nervios de las sensaciónes.

■ **Motores.** Llevan las órdenes de los centros nerviosos a todo el organismo. Son nervios de movimiento.

Las terminaciones de los nervios sensitivos se encuentran, sobre todo, en los órganos de los sentidos y en la piel y las neuronas motoras de los nervios de movimiento están en el encéfalo y en la médula espinal.

Algunos nervios están formados sólo por fibras aferentes; son nervios sensitivos. Otros nervios están formados únicamente por fibras eferentes; son nervios motores. Y por último, hay **nervios mixtos**, formados por fibras de sensación y por fibras motoras; son nervios con una doble función: sensitiva y de movimiento.

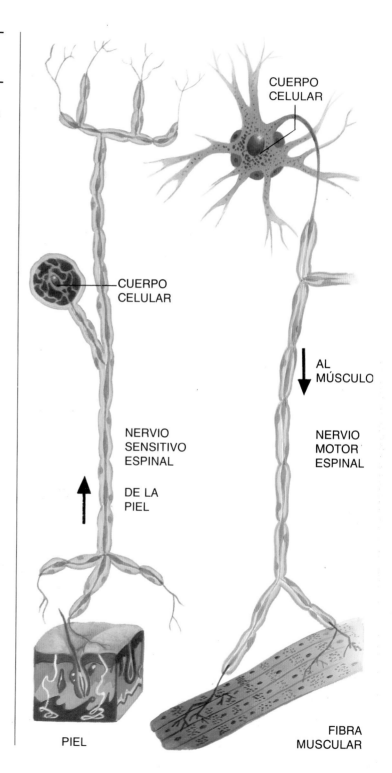

CUERPO CELULAR

CUERPO CELULAR

AL MÚSCULO

NERVIO SENSITIVO ESPINAL

DE LA PIEL

NERVIO MOTOR ESPINAL

PIEL

FIBRA MUSCULAR

¿Sabías que...

... el curare paraliza el sistema nervioso?

Algunas tribus de las cuencas de los grandes ríos Orinoco y Amazonas impregnan las puntas de sus flechas en una droga que, primero, paraliza a sus enemigos y que, en pocos minutos, acaba provocando su muerte.

Esta droga es el *curare*, una sustancia obtenida por la cocción de raíces de varias plantas tropicales.

Basta un pequeño arañazo de la flecha para producir una parálisis generalizada, debido a que el curare tiene la propiedad de impedir la transmisión de los impulsos nerviosos a las fibras musculares.

En pocos minutos, la parálisis afecta también a los músculos respiratorios y provoca la muerte del infortunado que se haya puesto a tiro de los indios.

En la medicina, el curare puede utilizarse en la composición de *anestésicos*. En pequeñas dosis, la acción paralizadora del curare puede contribuir a obtener la relajación muscular necesaria para ayudar a anestesiar a un paciente.

Los indios de la Amazonia tienen en el curare un arma de caza eficacísima. Cualquier ave o mamífero alcanzado por una flecha emponzoñada con curare, queda paralizada y muere al poco rato, aunque la herida haya sido muy superficial y sin que la carne produzca ninguna intoxicación al ser comida por el hombre. Es más: las heridas superficiales son más efectivas que las profundas, debido a que el curare obra principalmente por vía subcutánea, al actuar sobre las terminaciones de los nervios motores.

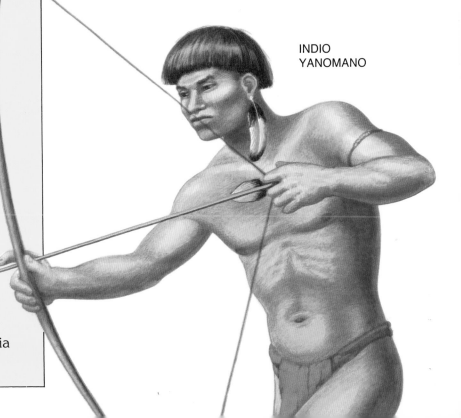

INDIO YANOMANO

Movimientos voluntarios y actos reflejos

Gran parte de la actividad del sistema nervioso es automática o **refleja**.

Esto quiere decir que el *impulso nervioso* captado por los *receptores sensitivos* en la piel o en los órganos de los sentidos no es llevado a la corteza cerebral para que ésta dé una respuesta.

El trayecto que sigue el impulso nervioso es mucho más corto: un nervio sensitivo transmite el impulso a la médula espinal, donde, a través de varias *sinapsis*, pasa a neuronas motoras, que dan lugar a la respuesta. Este proceso se conoce con el nombre de **arco** o **reflejo**.

Esto es lo que ocurre, por ejemplo, cuando alguien nos pellizca un brazo. El pellizco estimula los receptores sensitivos localizados en la piel y un nervio transmite el impulso de la médula espinal, donde unas *neuronas de asociación* lo transmiten a las *neuronas motoras*.

Las neuronas devuelven el mensaje a través de *nervios motores* a los músculos del brazo, éstos se contraen y apartamos el brazo.

Al contrario de la actividad refleja, la actividad **voluntaria** tiene su origen en diferentes partes de la corteza cerebral, llamadas *áreas motoras*.

De estas áreas parten los impulsos nerviosos hacia la médula espinal, desde donde son transmitidos por los nervios motores hasta los músculos al ser estimulados, se contraen y podemos mover diversas partes del cuerpo.

Sin embargo, la acción voluntaria y la acción refleja no están tan separadas como parece: en una actividad cualquiera, suelen intervenir, a la vez, actos voluntarios y actos reflejos.

Además, muchos actos conscientes acaban convirtiéndose en actos reflejos después de un proceso de aprendizaje más o menos largo.

Por ejemplo, si al sostener una cerilla encendida nos quemamos los dedos, la respuesta adecuada consistirá en apagarla lo antes posible.

En esta sencilla acción, intervienen acciones voluntarias y acciones reflejas.

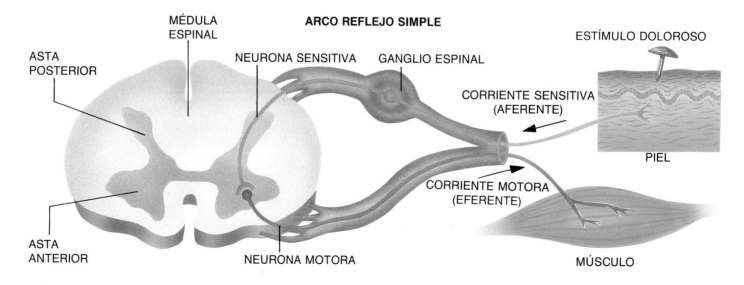

ARCO REFLEJO SIMPLE

En primer lugar, la zona quemada de la punta de los dedos transmite una sensación de dolor al cerebro. Este es informado, al mismo tiempo, de que la mano sostiene una cerilla encendida y de que el brazo está extendido en una determinada posición.

Los impulsos nerviosos que transmiten la sensación de quemadura son, a su vez, transmitidos por las neuronas de asociación a un área motora de la corteza cerebral, donde se originan unas órdenes que recorren parte de la médula y van a parar a los músculos del brazo y de la mano.

Estas órdenes dan lugar a un movimiento para que apaguemos la cerilla.

Sin embargo, el *automatismo* del movimiento con el que apagamos la cerilla depende del número de veces que hayamos realizado un movimiento similar.

Un niño muy pequeño no sabe hacerlo, y sólo lo aprende a través de la experiencia y el aprendizaje. Y con el aprendizaje, este movimiento tan sencillo puede llegar a convertirse en un acto reflejo.

Cuando por distracción, o sea, sin participación de la conciencia, nos quemamos con una cerilla, se produce un acto reflejo que condiciona una respuesta automática: soltar la cerilla. La identificación consciente de la sensación y de la causa del dolor es posterior al acto reflejo: la pequeñísima fracción de segundo necesaria para que una vía nerviosa sensitiva lleve el estímulo desde el asta posterior de la médula a los centros nerviosos del dolor, en la corteza cerebral. En cambio, el acto de acercarse una flor a la nariz para olerla mejor, es una acción voluntaria recomendada por una experiencia anterior. Sabemos (tenemos memoria de ello), que algunas flores huelen bien y nuestro cerebro ordena a los nervios motores idóneos que actúen sobre los músculos que pueden coger la flor y acercarla a nuestro órgano del olfato.

Los nervios craneales

Las vías nerviosas que salen del encéfalo se dirigen a los órganos de los sentidos y a varios músculos voluntarios; pero algunas van a otros órganos del cuerpo, como el corazón y los pulmones, y forman parte del sistema nervioso autónomo e involuntario.

Reciben el nombre de **nervios craneales** o **nervios encefálicos** y son doce pares, con funciones muy diferentes.

■ **I par: Nervio olfatorio.** Son sensitivos. Llevan al cerebro las sensaciones olfativas desde la mucosa de las fosas nasales y nos sirven para apreciar el olor.

■ **II par: Nervio óptico.** Son sensitivos. Los nervios ópticos salen desde las retinas de los ojos y conducen al cerebro las sensaciones visuales.

■ **III par: Nervio motor ocular común.** Son motores. Es el nervio responsable de algunos de los movimientos del globo ocular.

■ **IV par: Nervio patético.** Son motores. Originan el movimiento de un músculo del ojo.

■ **V par: Nervio trigémino.** Son mixtos, es decir, son nervios sensitivos y motores. Como sensitivos, llevan al cerebro impulsos nerviosos de sensación de varias zonas de la cara. La parte motora actúa sobre los músculos de la masticación.

■ **VI par: Nervio motor ocular externo.** Son motores. Su estímulo hace girar el globo ocular hacia el exterior.

■ **VII par: Nervio facial.** Son mixtos, La función más importante es la de la parte motora, que origina el movimiento de varios músculos de la cara. Como nervio sensitivo, lleva al cerebro los estímulos de la parte inferior de la lengua.

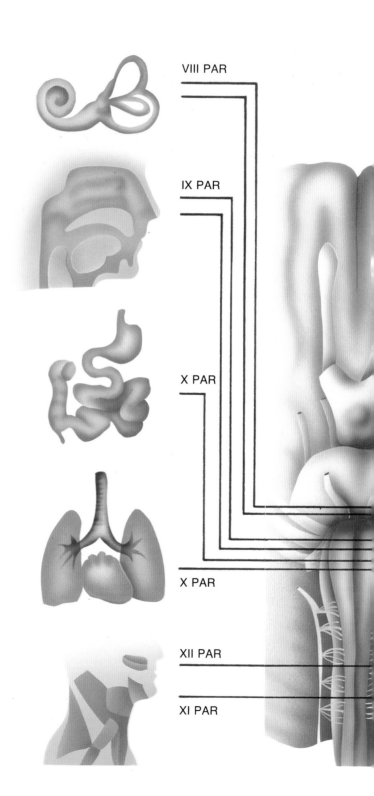

VIII PAR

IX PAR

X PAR

X PAR

XII PAR

XI PAR

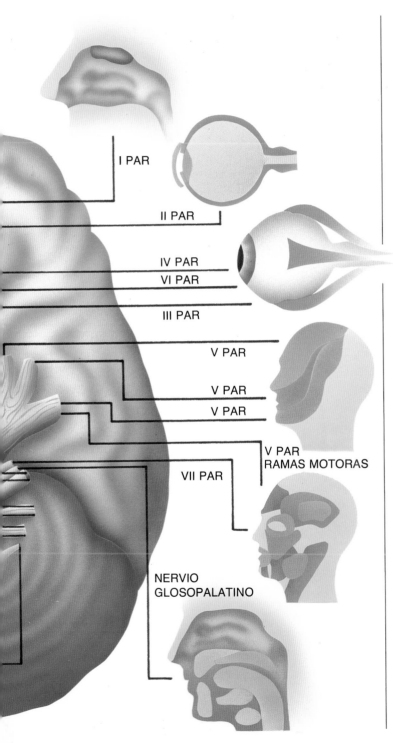

I PAR

II PAR

IV PAR
VI PAR

III PAR

V PAR

V PAR

V PAR

V PAR
RAMAS MOTORAS

VII PAR

NERVIO
GLOSOPALATINO

■ **VIII par: Nervio auditivo** o **vestíbulo-coclear**. Son sensitivos. Transmiten señales auditivas desde el oído interno al cerebro. Pero no sólo nos sirven para oír, sino también para mantener el equilibrio del cuerpo.

■ **IX par: Nervio glosofaríngeo.** Son mixtos. Su parte motora actúa sobre los músculos de la faringe para hacer posible la deglución. Como sensitivos, conducen al cerebro los estímulos de la parte posterior de la lengua.

■ **X par: Nervio vago.** Son mixtos. Sus ramificaciones llegan a la laringe y a la cavidad abdominal y actúan sobre el esófago, el corazón, los pulmones y otros órganos abdominales.

■ **XI par: Nervio espinal.** Son motores. Originan el movimiento de algunos músculos del cuello como el esternocleidomastoideo y el trapecio.

■ **XII par: Nervio hipogloso.** Son motores. Facilitan los movimientos de los músculos de la lengua, contribuyendo a la masticación, la deglución, la fonación, etc.

En esta ilustración se relacionan visualmente los doce pares de nervios craneales con los órganos sobre los que actúan. Observa que, de los doce pares, sólo dos, el nervio vago (X par) y el nervio espinal (XI par) no actúan sobre órganos situados en la cabeza. De todos estos nervios, los hay que son mixtos (motores y sensitivos). Concretamente el nervio vago, es motor, sensitivo y autónomo, o sea, de acción involuntaria.

Los nervios espinales

La mayoría de los nervios craneales se dirigen a la cabeza y las zonas adyacentes. El resto del sistema nervioso periférico y también, en parte, del sistema nervioso autónomo es competencia de los **nervios espinales**.

Son treinta y un pares, también llamados raíces o **nervios raquídeos**. Salen de la médula espinal a través de los orificios intervertebrales y se ramifican por todo el cuerpo.

Viendo la médula espinal en sección, la sustania gris adopta la forma de una mariposa. Los extremos de las alas de la mariposa más cercanos a la espalda se llaman *astas posteriores* y los más próximos al pecho, *astas anteriores*.

Los nervios espinales o raquídeos «nacen» en la sustancia gris de la médula, formando dos raíces bien diferenciadas:

■ **Raíz ventral o anterior.** Esta raíz sale de las astas anteriores de la médula espinal. Las fibras que forman estos nervios son de movimiento.

■ **Raíz dorsal o posterior.** Esta raíz sale de las astas posteriores de la médula espinal. Son fibras sensitivas.

Las dos raíces después de cruzar los orificios intervertebrales se unen para formar un solo nervio raquídeo.

Luego los nervios espinales se dividen en dos ramas: la *rama ventral* y la *rama dorsal*.

■ **La rama ventral**, más grande e importante, se dirige hacia la parte delantera del cuerpo y se divide en miles de ramificaciones en la piel, los músculos y los órganos. Su destino es, sobre todo, el cuello, los brazos, la parte delantera del tórax y las piernas.

■ **La rama dorsal**, gira inmediatamente

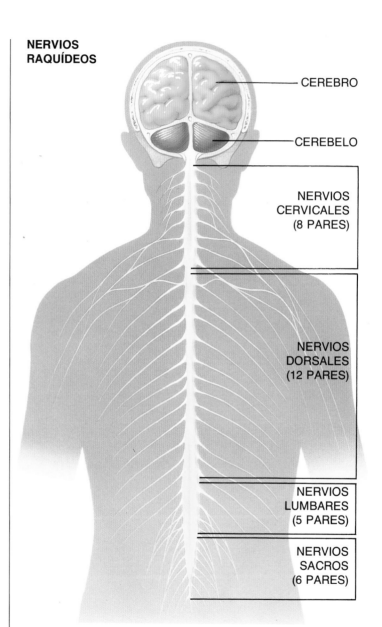

NERVIOS RAQUÍDEOS

CEREBRO

CEREBELO

NERVIOS CERVICALES (8 PARES)

NERVIOS DORSALES (12 PARES)

NERVIOS LUMBARES (5 PARES)

NERVIOS SACROS (6 PARES)

Los treinta y un pares de nervios raquídeos, se dividen en cervicales, dorsales, lumbares y sacros, atendiendo a la región de la columna vertebral de la cual arrancan. Los nervios cervicales arrancan de las vértebras cervicales (las siete primeras), los nervios dorsales arrancan de las doce vértebras de la región dorsal, los lumbares de las cinco vértebras lumbares y, por último, del hueso sacro salen los seis pares de nervios que toman el mismo nombre; es decir, nervios sacros.

alrededor de la columna vertebral y se dirige hacia la espalda, donde se ramifica en la piel y los músculos.

Varios nervios espinales cercanos viajan juntos hasta la parte del cuerpo que les corresponde, formando unas apretadas redes, llamadas *plexos*. Los plexos mayores son:

■ **El plexo braquial.** Es un entrelazamiento de cinco nervios espinales, que actúan sobre los músculos de los brazos.

■ **El plexo lumbar.** Está formado por tres nervios que se dirigen a los músculos de la parte delantera de los muslos y a la piel de las piernas y de los pies.

■ **El plexo sacro.** Es la unión de un conjunto de nervios entrelazados que salen de la médula a través de las últimas vértebras de la columna. Actúan sobre los músculos de la parte posterior de los muslos y de toda la pierna y el pie.

La unión final de los nervios del plexo sacro da lugar al **nervio ciático**, cuya inflamación produce la enfermedad llamada *ciática*.

Este esquema tan sencillo explica la doble acción de los nervios raquídeos. Observa cómo la raiz anterior de cada nervio está formada por las neuronas motoras que «salen» de la médula, y cómo su raiz posterior está formada por las neuronas que «entran» en la médula. En el nervio raquídeo hay, pues, una vía aferente que lleva los estímulos desde las terminaciones nerviosas sensitivas hasta la médula, y una vía eferente que lleva los impulsos motores de respuesta al estímulo, desde la médula hasta el órgano que debe entrar en acción, o que debe ser estimulado.

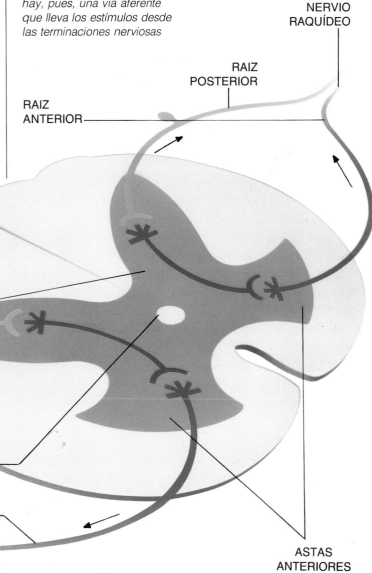

NERVIO RAQUÍDEO

RAIZ POSTERIOR

RAIZ ANTERIOR

ASTAS POSTERIORES

SUSTANCIA GRIS

GANGLIO RAQUÍDEO

SUSTANCIA BLANCA

NEURONA DE ASOCIACIÓN

NEURONA MOTORA

NEURONA SENSITIVA

ASTAS ANTERIORES

El sistema nervioso autónomo

Como ya sabes, la función del sistema nervioso periférico es servir de transmisión entre el sistema nervioso central y el resto del organismo. Y esta función la realiza a través de dos partes: el *sistema nervioso cerebroespinal* y el *sistema nervioso autónomo* o *vegetativo*.

Mientras que el sistema nervioso cerebroespinal envía al encéfalo y a la médula espinal los impulsos nerviosos de los órganos de los sentidos y dirige el movimiento de los músculos voluntarios, el sistema nervioso autónomo regula la actividad interna del organismo, como la circulación de la sangre o la digestión.

El sistema nervioso autónomo es *involuntario*, su funcionamiento no depende de nuestra voluntad. Sin embargo, está relacionado con el sistema nervioso cerebroespinal o voluntario.

Cuando corres, por ejemplo, una carrera, actúan conjuntamente el sistema nervioso cerebroespinal, que dirige el trabajo a los músculos, y el sistema nervioso autónomo, que acelera la respiración, el ritmo cardíaco y hace aumentar el flujo sanguíneo hacia los músculos.

De modo constante, en nuestro cuerpo hay un intenso funcionamiento interior, que dirige el sistema nervioso autónomo: la respiración, la circulación de la sangre, la digestión de los alimentos, todas estas funciones y otras muchas se realizan sin que debamos «ordenarles» a los músculos respiratorios que funcionen, al corazón

Marcos se está entrenando para participar en una prueba atlética. Es una actividad voluntaria que, sin embargo, desencadena en el organismo del muchacho una serie de actividades internas completamente automáticas e independientes de su voluntad.

que bombee sangre o al tubo digestivo que segregue enzimas para digerir los alimentos.

Las funciones de cada órgano no se realizan de modo caótico, sino que los órganos están relacionados unos con otros para hacer posible el funcionamiento del organismo.

Con el ejemplo de la carrera comprenderás mejor el mecanismo que relaciona unos órganos con otros.

Tus músculos, sometidos a un esfuerzo extra, necesitan alimento y oxígeno.

Varios nervios del sistema nervioso autónomo hacen entonces que el hígado ponga en circulación más glucosa, que, llevada por la sangre, va a nutrir a los músculos «hambrientos».

Al mismo tiempo, otros músculos dilatan las arterias, para que, a través de la sangre, afluya una mayor cantidad de oxígeno a los músculos.

Entre las funciones del sistema nervioso autónomo se encuentra también la que permite al organismo adaptarse a las temperaturas demasiado elevadas o demasiado bajas, activando o reduciendo la función de las glándulas sudoríparas y dilatando o contrayendo los vasos capilares.

El sistema nervioso autónomo se divide en dos partes, con funciones distintas y, a menudo, contrarias: el **sistema nervioso simpático** y el **sistema nervioso parasimpático**.

Los nombres de simpático y parasimpático provienen de que ambos sistemas armonizan —es decir, *simpatizan*— las funciones de los diferentes órganos del cuerpo y mediante esta armonización o «simpatía» se logra el necesario equilibrio para que nuestro organismo funcione.

Es precisamente para alcanzar ese equilibrio por lo que las misiones encomendadas al simpático y al parasimpático son, con frecuencia, opuestas.

Después del esfuerzo, Marcos duerme y descansa. Su ritmo respiratorio y cardíaco son más lentos, sus músculos se han relajado. El sistema autónomo parasimpático predomina sobre el resto de su sistema nervioso, adaptando el funcionamiento de los órganos al bajo consumo energético que, durante el sueño, requiere su organismo.

Un sistema activo

El **simpático** tiene una función *activadora*: activa el funcionamiento de todos los órganos del cuerpo y estimula diversas reacciones para que el organismo pueda hacer frente a situaciones de emergencia, como un ejercicio físico intenso o una fuerte emoción.

El sistema nervioso autónomo o vegetativo comienza en una serie de ganglios, que son gruesos agrupamientos de células nerviosas o neuronas.

Como sabes, las fibras nerviosas salen de la médula espinal y los axones de las neuronas las comunican unas con otras. Estos agrupamientos de células forman los ganglios, que están situados a ambos lados de la columna vertebral, como dos largas cuerdas con muchos nudos.

Las fibras nerviosas que forman los ganglios salen de diferentes zonas de la médula. Según estas zonas, el sistema nervioso autónomo se divide en tres partes: **craneal, toracolumbar** y **sacra**.

Las fibras nerviosas que salen de los ganglios situados en la zona *toracolumbar* forman el simpático, mientras que de los ganglios situados en las zonas *craneal* y *sacra*, salen las fibras nerviosas del parasimpático.

De cualquier modo, sea por un recorrido o por otro, la mayor parte de los órganos del cuerpo reciben fibras nerviosas del simpático y del parasimpático.

Del simpático y del parasimpático depende, como hemos dicho, la actividad normal del organismo, pues las dos partes del sistema nervioso autónomo llegan a la mayor parte de los órganos del cuerpo, en especial, a los músculos de fibra lisa, como el tubo digestivo, los vasos sanguíneos, etc., y al corazón.

La misión del simpático está dirigida a activar todas esas funciones del organismo:
• Aumenta el metabolismo, es decir, activa una serie de reacciones químicas en las células mediante las cuales éstas se «alimentan».
• Incrementa el riego sanguíneo del cerebro.
• Dilata los bronquios.
• Dilata las pupilas.
• Aumenta la sudoración.
• Aumenta el ritmo y la potencia de los latidos del corazón.
• Aumenta la presión sanguínea, gracias a la constricción de las arterias.
• Estimula las glándulas suprarrenales, que, como sabes, son glándulas situadas sobre los riñones.

Como sabes, las glándulas suprarrenales segregan, entre otras, una hormona llamada *adrenalina*, cuya misión principal es estimular diversas reacciones para que el organismo pueda hacer frente a una «sobrecarga» en sus funciones normales.

Durante el recreo, Clara repone fuerzas. Como ves perfectamente, se está comiendo un soberbio bocadillo. Lo que escapa a nuestra observación es la eficacia del sistema nervioso parasimpático de la niña, que está activando todos los órganos de la digestión y estimulando a todas las glándulas que deben segregar los jugos digestivos. También regula la producción de energía que su organismo necesita para digerir el pan y lo que hay de por medio.

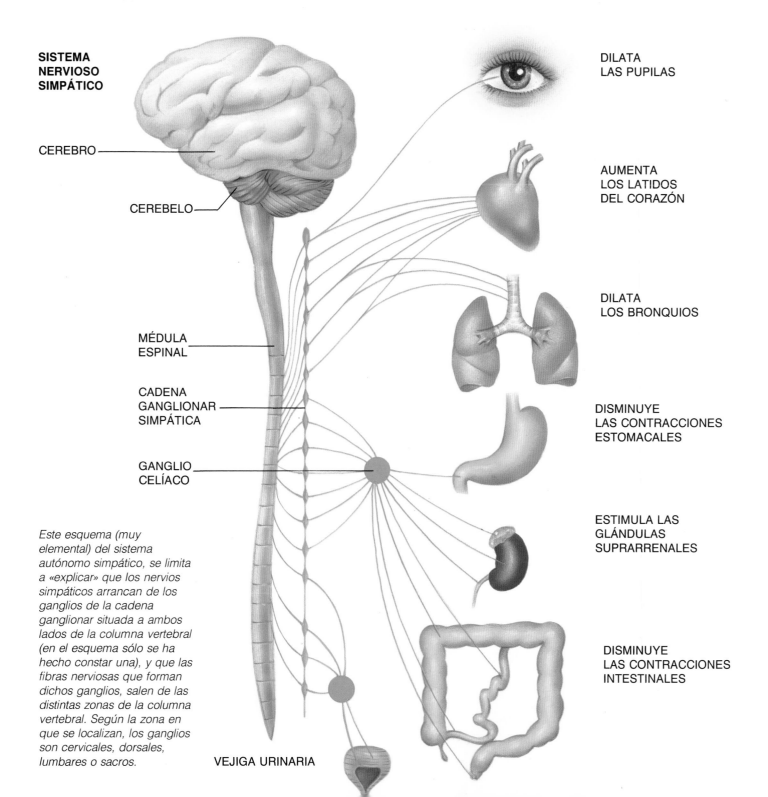

**SISTEMA
NERVIOSO
SIMPÁTICO**

DILATA
LAS PUPILAS

CEREBRO

AUMENTA
LOS LATIDOS
DEL CORAZÓN

CEREBELO

DILATA
LOS BRONQUIOS

MÉDULA
ESPINAL

DISMINUYE
LAS CONTRACCIONES
ESTOMACALES

CADENA
GANGLIONAR
SIMPÁTICA

GANGLIO
CELÍACO

ESTIMULA LAS
GLÁNDULAS
SUPRARRENALES

*Este esquema (muy
elemental) del sistema
autónomo simpático, se limita
a «explicar» que los nervios
simpáticos arrancan de los
ganglios de la cadena
ganglionar situada a ambos
lados de la columna vertebral
(en el esquema sólo se ha
hecho constar una), y que las
fibras nerviosas que forman
dichos ganglios, salen de las
distintas zonas de la columna
vertebral. Según la zona en
que se localizan, los ganglios
son cervicales, dorsales,
lumbares o sacros.*

DISMINUYE
LAS CONTRACCIONES
INTESTINALES

VEJIGA URINARIA

Un sistema pasivo

El **parasimpático** tiene una función *retardadora*: contribuye a regular las funciones más importantes del organismo, como la respiración, la circulación sanguínea, la digestión, etc., manteniendo su actividad y conservando la energía, que en situaciones de emergencia, activará el simpafico.

Es lógico, por ello, que cuando descansamos o estamos durmiendo predomine la acción del parasimpático sobre el organismo.

Mientras que las fibras nerviosas del simpático salen todas de la médula espinal y forman los ganglios de la zona *toracolumbar*, algunas fibras nerviosas del parasimpático salen directamente del encéfalo, formando los ganglios de la zona *craneal*, y otras, de la parte más inferior de la médula, el hueso sacro, dando lugar a los ganglios de la zona *sacra*, que actúan sobre el colon y la vejiga urinaria.

Muchas fibras nerviosas del parasimpático discurren con uno de los nervios craneales ya mencionados: el *nervio vago*. Este nervio actúa sobre todo en los pulmones, el corazón, el estómago, el intestino y el hígado.

Las principales funciones del parasimpático son:

• Disminución del ritmo y la potencia de los latidos del corazón.
• Contracción de los conductos respiratorios, como la tráquea y los bronquios.
• Disminución de la presión arterial.
• Aumento de la secreción nasal, así como la de saliva y lágrimas.
• Aumento de los movimientos peristálticos y de las secreciones intestinales.

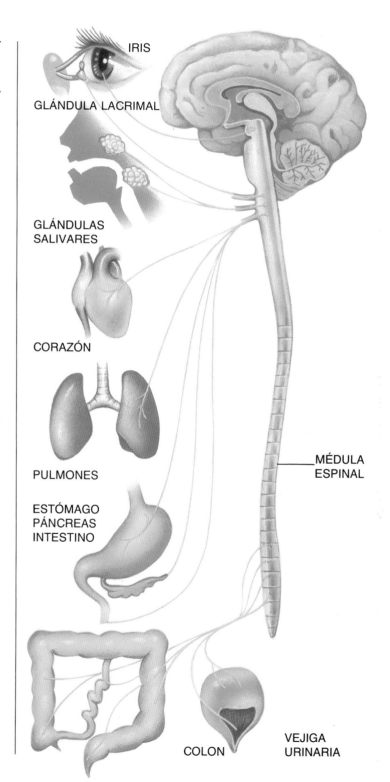

IRIS

GLÁNDULA LACRIMAL

GLÁNDULAS SALIVARES

CORAZÓN

PULMONES

MÉDULA ESPINAL

ESTÓMAGO PÁNCREAS INTESTINO

COLON

VEJIGA URINARIA

¿Sabías que...

... algunos animales reducen al mínimo, en invierno, la actividad de sus órganos y de su sistema nervioso?

Algunos mamíferos como el murciélago, la marmota, el lirón, etc., pasan casi todo el invierno durmiendo. Este sueño tan prolongado se llama **hibernación**.

En la hibernación, intervienen mecanismos diferentes, según las especies, pero puede decirse que, entre otras causas, la hace posible un predominio del parasimpático: la temperatura del cuerpo baja hasta ser muy cercana a la del medio ambiente, el corazón late tan lentamente, que parece casi parado y la respiración y el metabolismo se reducen considerablemente.

Este largo sueño permite que el animal, para alimentarse, tenga suficiente con sus propias reservas de energía.

El consumo de oxígeno es veinte o treinta veces inferior al normal, lo que demuestra hasta qué punto el simpático ha reducido su actividad en favor del parasimpático.

El oso también hace largas siestas en invierno; pero, en realidad, no hiberna, porque su cuerpo no se enfría. Por eso, el sueño invernal del oso se llama letargo.

Esta marmota ha sido sorprendida durante su largo sueño invernal. A pesar de ser un animal de sangre caliente, su temperatura corporal se hace sensiblemente igual a la temperatura ambiente. La pérdida de calor corporal durante el invierno la lleva al letargo, a la práctica ausencia de actividad corporal, que se mantiene a muy bajo nivel. Procura, pues, que no puedan decirte que «duermes como una marmota», expresión que suele aplicarse a quienes sólo piensan en dormir y a los que, a pesar de estar despiertos, demuestran muy poco interés por las cosas, como si estuvieran aletargados.

Más vale prevenir que curar

¡Cuidado con la tensión nerviosa!

Es probable que cuando oigas mencionar la palabra *salud*, pienses en la *salud del cuerpo* o *salud física*.

Sin embargo, la salud es un concepto mucho más amplio, que incluye la *salud mental* o la *salud psíquica*.

Seguramente admites como normal que tus músculos se *fatiguen* cuando realizas un ejercicio físico intenso, pero es posible que te cueste más comprender que tu sistema nervioso también tiene un límite de resistencia.

Cuando, por ejemplo en época de exámenes, realizas un esfuerzo intelectual superior al normal, tu sistema nervioso está sometido a una *tensión* extra, que puede ser causa de una fatiga nerviosa o *stress*.

Los síntomas te son bien conocidos: te cuesta mucho *concentrarte*, el trabajo no te cunde y te sientes *triste* y *deprimido*.

En tu mano está hacer algunas cosas para evitar esos estados de tensión, que, a la larga, perjudicarían tu sistema nervioso.

• Haz ejercicio físico. La fatiga muscular moderada es útil para disminuir la tensión nerviosa.

• Alterna la actividad intelectual. Si por ejemplo, una asignatura se te «atraviesa», altérnala, cuando sea posible, con otra.

• Duerme las horas suficientes. A tu edad, entre doce y catorce horas, pero *siempre* un mínimo de ocho horas.

• Los problemas se resuelven de uno en uno. A veces parece que las contrariedades y los problemas se han puesto «de acuerdo»; la peor solución es dejarse desbordar por la «avalancha».

• Debes distraerte. Hablar y jugar con tus amigos, una vez que hayas hecho tus tareas escolares, es una buena «medicina» para tu sistema nervioso.

Marcos y sus amigos han encontrado una manera fantástica de llenar su ocio: ¡han creado un grupo teatral! Se lo pasan estupendamente durante los ensayos, realizando los decorados y diseñando el vestuario. Y cuando se maquillan, no hay quien pare de reir. Marcos ha resultado un gran director y Yolanda y los demás, han descubierto sus grandes dotes para hacer comedia. Sus actividades teatrales, además, desarrollan su creatividad y su capacidad para la relación. Ahora son más amigos que nunca.

¿Qué hacer con el tiempo libre?

En la actualidad, se habla mucho de *tiempo libre* o de *ocio*, o sea, del tiempo que nos «sobra», una vez realizadas todas las actividades escolares o laborales en el caso de los adultos.

El tiempo de ocio puede proporcionarnos el necesario descanso, no por la ausencia de actividad sino, sobre todo, cambiando las *actividades obligatorias* impuestas por el estudio y el trabajo por *actividades voluntarias*.

Se trata de hacer lo que nos *gusta* hacer: practicar una *actividad física*; dedicarnos a *actividades creativas*, y, por supuesto, cultivar la relación y la amistad con los demás.

Lo que de ningún modo debe ser el ocio es un *tiempo vacío*, que se pase de un modo pasivo (viendo la «tele», por ejemplo), y sin aportar nada de nuestra parte. Sabiendo seleccionar los programas, la televisión es un buen elemento de distracción y de aprendizaje; pero cuando nos ocupa todo o la mayor parte de nuestro tiempo libre, porque no sabemos qué hacer, es una mala solución al ocio.

El dolor, una señal de alarma

Conoces muy bien lo que es el dolor, que siempre lo has asociado a partes concretas de tu cuerpo: has tenido dolor de cabeza, dolor de muelas, dolor de oídos, etc.

¿Sabes, sin embargo, qué función exacta cumple el dolor y cuál es el mecanismo que hace que se manifieste a través del sistema nervioso?

El dolor es una *señal de alarma* que nuestro organismo pone en marcha para advertirnos de que algo funciona mal o puede llegar a funcionar mal.

La *sensibilidad* al dolor no es la misma, sin embargo, en todo el cuerpo. En algunas zonas, como la piel, es muy elevada, mientras que en otros órganos, como el hígado, es más pequeña.

Ello es así porque la sensibilidad al dolor está especialmente relacionada con los nervios sensoriales o sensitivos del sistema nervioso cerebroespinal y no tanto con los nervios del sistema nervioso autónomo o vegetativo, que se ocupan de las funciones «automáticas» del organismo.

El dolor está, sin embargo, tan relacionado con todas las partes del sistema nervioso, que, a veces, las emociones intensas, como la ira o el miedo, pueden desviar la atención *consciente* de los estímulos dolorosos.

Es común, por ejemplo, que en un accidente de tráfico, no se sienta dolor en el primer momento; y que sólo pasado algún tiempo, cuando nuestra *consciencia* ha superado la sorpresa o el miedo, comencemos a sentir dolor.

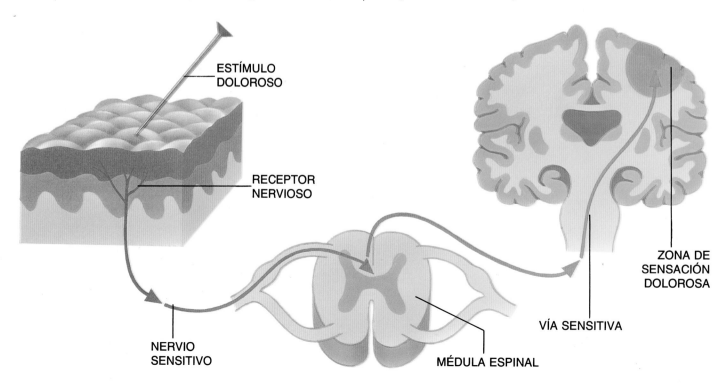

ESTÍMULO DOLOROSO

RECEPTOR NERVIOSO

NERVIO SENSITIVO

MÉDULA ESPINAL

VÍA SENSITIVA

ZONA DE SENSACIÓN DOLOROSA

Los nervios enferman

Lesiones de la médula espinal

La médula espinal está bien protegida por la columna vertebral; por ello, las lesiones de médula no suelen ser muy frecuentes. Pero cuando se producen lesiones graves, pueden dar lugar a la pérdida del movimiento en toda o alguna parte del cuerpo, es decir, pueden ocasionar una *parálisis*.

La médula se puede lesionar en accidentes de tráfico graves, sobre todo cuando por un choque o por un frenazo brusco, se produce una torsión muy violenta del cuello. Alguno de los nervios de esta zona de la médula puede resultar entonces dañado.

Pero las parálisis pueden estar originadas también por otras muchas causas que hagan imposible que las órdenes de movimiento se transmitan a los músculos; entre estas causas se encuentran algunas enfermedades infecciosas, como la *poliomielitis*.

La poliomielitis

La poliomielitis es una enfermedad infecciosa causada por un virus, que afecta a los nervios motores, es decir, a los nervios que llevan impulsos nerviosos de movimiento a los músculos. Con frecuencia, para abreviar, se designa también con el nombre de *polio*.

En los casos graves, esta enfermedad puede provocar parálisis en algunos músculos, sobre todo de las piernas.

Como otras enfermedades infecciosas, la polio es muy contagiosa, por lo que en las regiones o países en los que existen malas condiciones higiénicas, los virus portadores de la enfermedad se pueden propagar fácilmente.

Antiguamente, era una enfermedad muy común sobre todo entre los niños; pero en la actualidad, la aparición de la poliomielitis se ha reducido mucho en la mayoría de los países desarrollados.

Ello ha sido posible mediante la *vacunación preventiva* de los niños, desde los tres meses y hasta los cuatro y seis años.

El apoyo para la nuca que llevan los asientos de los automóviles, no es únicamente un detalle para aumentar la comodidad en la conducción. Su presencia responde también a la necesidad de evitar que la cabeza pueda irse hacia atrás con fuerza y brusquedad como consecuencia de un posible impacto en la parte trasera del vehículo. Los apoyos para la nuca pueden evitar serias lesiones de las vértebras cervicales.

La vista,
un sentido superior

Los órganos de los sentidos

Los seres humanos perciben todo aquello que sucede a su alrededor mediante los **órganos de los sentidos**: ojos, oídos, nariz, lengua y piel.

La información que en forma de estímulos se recibe del medio exterior es recogida por unas células nerviosas especiales llamadas **receptores**. Éstas responden siempre a cualquier cambio del medio que nos rodea. Cuando los receptores son estimulados por una radiación de luz o por una vibración del aire, por ejemplo, producen pequeños impulsos eléctricos que viajan a lo largo de los **nervios sensitivos**, que transportan estas informaciones hasta los **centros nerviosos** como el **cerebro** y la **médula espinal**. El cerebro interpreta la información que le llega en forma de impulsos eléctricos y es entonces cuando la identificamos como sensación visual o sensación sonora y tenemos conciencia de lo que ocurre a nuestro entorno. El siguiente paso es la elaboración de una orden de respuesta que viaja a través de los llamados **nervios motores** hasta los órganos encargados de ejecutarla: músculos del aparato locomotor, quizás.

VISTA

OÍDO

GUSTO

OLFATO

TACTO

Los receptores especializados en la captación de un mismo tipo de estímulos, se agrupan en zonas concretas dando lugar a los diferentes órganos de los sentidos:

- **El sentido de la vista** capta las imágenes y las variaciones visibles que se producen en el ambiente.
- **El sentido del oído** capta los sonidos y variaciones acústicas.
- **El sentido del olfato** capta los olores y **el sentido del gusto** percibe los sabores.
- **El sentido del tacto** capta los cambios de temperatura, de presión, de humedad, etc.

Los ojos, órganos de la visión

Aquello que estimula los *receptores* de los órganos de la vista, es, como sabes, la luz. Sin luz no hay ninguna posibilidad de ver.

Todas las cosas que vemos están constantemente reflejando los rayos de luz. Estas radiaciones penetran en los ojos y llegan hasta las células receptoras que al ser estimuladas por ellas mandan impulsos al cerebro a través del nervio óptico para que los interprete.

En la especie humana, las células fotorreceptoras se hallan reunidas en dos órganos muy delicados, los ojos, que están situados en unas cavidades óseas de la cabeza llamadas **cuencas orbitarias**.

En un ojo cabe distinguir dos partes:

- El **globo ocular**.
- Los **órganos anejos**.

El globo ocular

El globo ocular es un órgano casi esférico de unos dos centímetros y medio de diámetro. Sus paredes están constituidas por tres membranas opacas, superpuestas, que, de fuera a dentro, se llaman **esclerótica, coroides** y **retina**. En su interior están los **medios transparentes**, que, como tales, dejan pasar la luz. Son el **humor acuoso**, el **cristalino** y el **humor vítreo**.

■ **La esclerótica** es la membrana más externa. De consistencia dura, resistente y de color blanco, se la puede considerar como el esqueleto del globo ocular, ya que le da forma y consistencia. La zona central de su parte anterior se hace transparente y se abomba un poco formando la *córnea* y en su parte posterior hallamos el agujero que da paso al *nervio óptico*.

■ **La coroides** o membrana intermedia es blanda y de color muy oscuro o negro, debido a la melanina que contiene. Está profusamente irrigada por vasos sanguíneos, ya que tiene la misión de alimentar a las otras dos membranas. En su parte anterior se halla un disco de color, denominado *iris*, con un orificio central llamado *pupila* o *niña del ojo*. La pupila aumenta de tamaño, cuando hay poca luz, gracias a la contracción de las *células musculares* radiales del iris, y se cierra cuando hay mucha luz, gracias a la contracción de las *células musculares circulares* del iris, cuyo color varía según la persona.

■ **La Retina** es la membrana más interna y la que contiene las células fotosensibles del ojo, que pueden ser de dos tipos: los **conos**, gracias a los cuales distinguimos los colores, y los **bastones**, que nos permiten apreciar la intensidad de la luz.

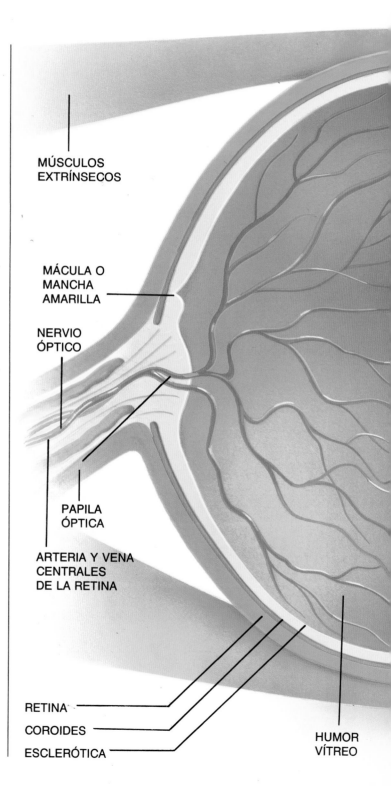

MÚSCULOS EXTRÍNSECOS

MÁCULA O MANCHA AMARILLA

NERVIO ÓPTICO

PAPILA ÓPTICA

ARTERIA Y VENA CENTRALES DE LA RETINA

RETINA

COROIDES

ESCLERÓTICA

HUMOR VÍTREO

SECCIÓN DEL OJO HUMANO

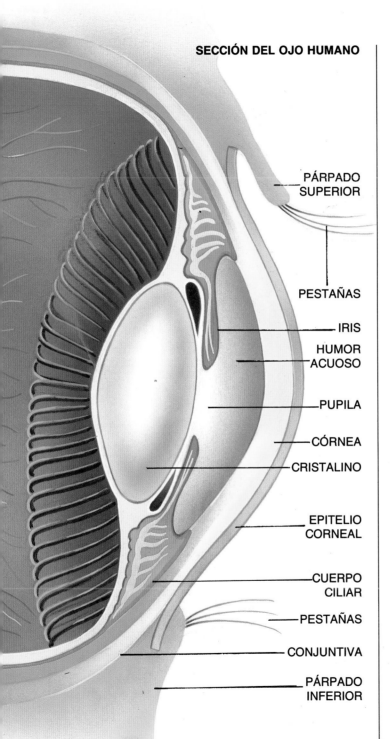

PÁRPADO SUPERIOR

PESTAÑAS

IRIS

HUMOR ACUOSO

PUPILA

CÓRNEA

CRISTALINO

EPITELIO CORNEAL

CUERPO CILIAR

PESTAÑAS

CONJUNTIVA

PÁRPADO INFERIOR

En la retina se distinguen dos puntos especialmente importantes: la **papila óptica** o **disco óptico** en la que se encuentra el *punto ciego* y la **mácula** o **mancha amarilla**. El punto ciego está localizado en el lugar donde el nervio óptico se une a la retina. Es una zona libre de células fotosensibles por lo que, en ella, no hay visión. La mácula rodea a una depresión llamada *fovea* y es la zona más sensible y de mayor eficacia visual ya que en ella hay gran abundancia de conos.

■ **Los medios transparentes** son una serie de membranas y sustancias, a través de las cuales pasa la luz.

El **cristalino** situado detrás del iris, es un cuerpo sólido, elástico y transparente, en forma de lente biconvexa, o sea, más gruesa en el centro que en los bordes. Separado unos 2 mm de la córnea, se sujeta por los bordes a la coroides mediante unos pequeños ligamentos llamados **ligamentos suspensorios**.

En el interior del ojo se distinguen tres regiones:

La cámara anterior, situada entre el iris y la córnea.

La cámara posterior, situada entre el iris y el cristalino.

Estas dos primeras regiones, o cámaras, contienen un líquido transparente, semejante al agua, al que llamamos **humor acuoso**.

El espacio vítreo (o **cámara vítrea**), es una tercera región situada detrás del cristalino y limitada por la retina, que está ocupado por un gel transparente llamado **cuerpo vítreo**.

Conjuntiva. Es una delicada membrana que tapiza la cara interior de los párpados y la parte anterior del globo ocular, concretamente la esclerótica, donde la membrana conjuntiva es completamente transparente.

La acomodación del cristalino

Para demostrar que el ojo se acomoda a aquello que interesa ver os propongo que realiceis la siguiente experiencia:

Mirad un objeto muy lejano y luego cerrad los ojos; abridlos de nuevo: el objeto alejado se ve claramente enseguida. Volved a realizar el experimento, pero esta vez con un objeto cercano (a 25 cm por ejemplo). Cuando abráis los ojos el objeto se verá impreciso, desfocado, durante un breve instante, y luego se verá con claridad. Por tanto, existe en el ojo un dispositivo automático de enfoque. Es lo que llamamos *acomodación del ojo*, que nos permite el enfoque automático de la imagen que se forma en la retina, gracias a una facultad muy especial de la lente llamada cristalino.

Como en el ojo la distancia entre el cristalino y la retina no puede cambiar , para mantener la imagen en el foco, es necesario que el cristalino modifique su curvatura. En efecto, el cristalino, es una lente prodigiosa que, ella misma, se abomba más para la visión cercana y que pierde curvatura para la visión lejana.

Veamos cuáles son los límites de la acomodación. Un ojo normal no tiene necesidad de acomodarse para ver los objetos situados a 60 metros o más. Para mantener el foco cuando los objetos están a menos de 60 m, el ojo se acomoda gracias a que la cara anterior del cristalino se abomba tanto más, cuanto menor es la distancia. Un hombre adulto suele ver claramente los objetos situados a 10 cm. A una distancia menor la imagen resulta imprecisa. Este ojo, entonces, puede percibir claramente un objeto situado entre una distancia de 10 cm e infinito (en realidad hasta que el efecto de la perspectiva, con la aparente disminución del tamaño, no nos permita distinguirlo).

Las lentes biconvexas hacen converger los rayos luminosos paralelos, tanto más cuando mayor es su curvatura. Las lentes más abombadas forman la imagen más cerca de ellas que las lentes más planas. Lo que hace el cristalino, es adaptar su curvatura para que las imágenes se formen siempre sobre la retina, ni más adelante ni detrás de ella. Cuando sucede una de ambas cosas, el ojo no funciona normalmente y necesita una corrección óptica.

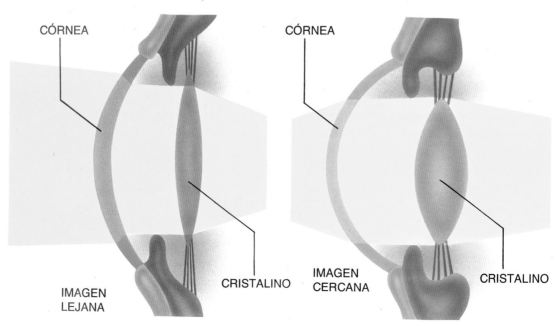

CÓRNEA

IMAGEN LEJANA

CRISTALINO

CÓRNEA

IMAGEN CERCANA

CRISTALINO

¿Sabías que...

Siempre que la posición relativa entre un punto del espacio y el ojo sea tal que la imagen de dicho punto se forme en el punto ciego de la retina, para esta imagen no se producirá ningún estímulo, y en consecuencia, el cerebro no recibirá ninguna señal; no habrá visión.

...el punto ciego se pone fácilmente de manifiesto?

Como habrás leído anteriormente, en el punto ciego no se percibe visión. En el punto en que las fibras ópticas dan la vuelta y pasan a través de la retina, no hay receptores sensibles a la luz. Por lo tanto, la luz que se enfoca sobre este área de la retina no se aprecia y, en consecuencia, hay un punto denominado ciego. Éste se puede poner fácilmente de manifiesto mediante una experiencia realmente sencilla:

Observa el esquema de la figura.

Tápate el ojo derecho con la mano derecha y enfoca el ojo izquierdo para ver la cruz; también verás el círculo negro. Pero moviendo el libro hacia atrás o hacia adelante se encontrará una posición en la cual el punto negro desaparece. Y desaparece porque, a esa distancia, está enfocado sobre el punto ciego y no puede ser visto.

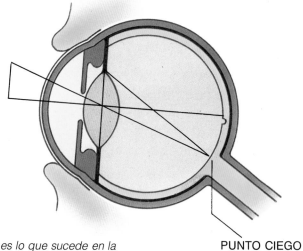

Esto es lo que sucede en la experiencia que te proponemos: cuando el ojo izquierdo enfoca la cruz, hay una distancia para la cual la imagen del punto se forma sobre el punto ciego.

PUNTO CIEGO
(NO HAY VISIÓN)

DEMOSTRACIÓN EXPERIMENTAL

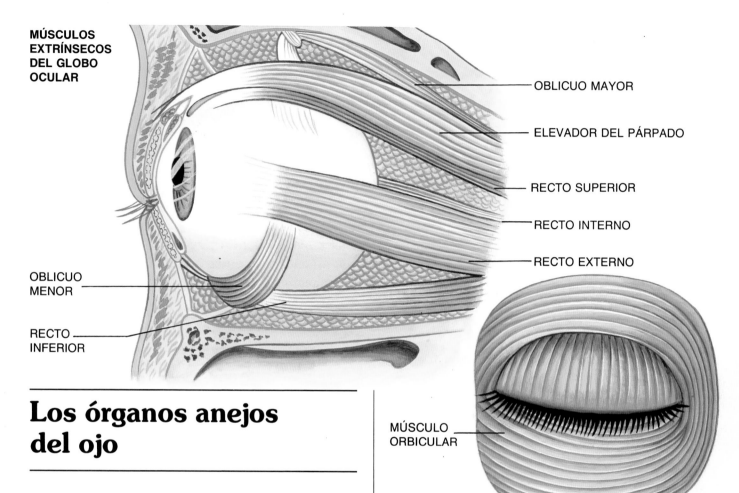

MÚSCULOS EXTRÍNSECOS DEL GLOBO OCULAR

OBLICUO MAYOR

ELEVADOR DEL PÁRPADO

RECTO SUPERIOR

RECTO INTERNO

RECTO EXTERNO

OBLICUO MENOR

RECTO INFERIOR

MÚSCULO ORBICULAR

Los órganos anejos del ojo

Los órganos del movimiento

El movimiento de tus ojos está regulado cuidadosamente por el cerebro, de tal modo que los dos se mueven normalmente como una unidad. Es decir: no puedes mirar en dos direccione al mismo tiempo. Este movimiento sincrónico de los ojos se llama *movimiento conjugado* y es un acto complejo que se coordina a nivel de la corteza cerebral. El movimiento de los glóbulos oculares se realiza gracias a la acción de seis músculos de fibra estriada, unidos por uno de sus extremos a la pared de la órbita y, por el otro, al globo ocular. Son:

■ El **recto superior**, que mueve el ojo hacia arriba y hacia adentro.
■ El **recto inferior**, que mueve el globo ocular hacia abajo y hacia adentro.
■ El **recto interno**, que lo mueve hacia adentro y el **recto externo**, que lo mueve hacia afuera.
■ El **oblicuo mayor**, que hace girar el globo ocular hacia abajo y hacia afuera y el **oblicuo menor**, que lo gira hacia arriba y hacia afuera.

La deficiente coordinación entre las acciones individuales de los músculos extrínsecos del ojo es la causa del estrabismo u ojos bizcos.

Los órganos de protección

El ojo es un órgano muy delicado y, como tal, necesita protección para los golpes, el polvo, el humo, la luz muy intensa y cualquier otra posible agresión del ambiente. Todo el globo ocular, excepto en su parte frontal, está protegido por los huesos del cráneo y de la cara. En la parte frontal, una serie de órganos de defensa protegen al ojo y facilitan su movimiento. Estos órganos son:

■ **Las cejas.** Se trata de grupos de pelos que formando un arco en la parte superior de cada órbita ocular impiden que caiga el sudor de la frente a los ojos, desviándolo hacia las sienes.

■ **Los párpados** son repliegues formados por la piel que recubren el ojo. En su interior está el *cartílago tarso* y las *glándulas de Meibomio*. Estas glándulas segregan una sustancia grasa cuya función es impedir que se

desborden las lágrimas; esta sustancia, al secarse, forma las legañas. Los movimientos de los párpados se deben a dos músculos antagónicos que son, el músculo **elevador del párpado superior**, que lo eleva y permite el parpadeo, y el músculo **orbicular del párpado** cuya misión es cerrarlo.

■ **Las pestañas** son pelos largos y fuertes situados en los bordes de los párpados. Aminoran la luz demasiado viva y detienen las partículas de polvo.

■ **Las glándulas lacrimales** están situadas, una en cada ojo, en su ángulo externo. Producen las lágrimas, de sabor salado y cuya función es lubrificante y bactericida: actúan en el sentido de mantener húmeda y limpia, al mismo tiempo, la superficie del ojo. Las lágrimas se recogen en unos agujeritos que hay en el ángulo interno de cada ojo y de allí pasan a la nariz.

CEJA

GLÁNDULAS LACRIMALES

PÁRPADO SUPERIOR

PESTAÑAS

PÁRPADO INFERIOR

CONDUCTO LACRIMAL

El funcionamiento óptico de una cámara fotográfica es exactamente el mismo que el del ojo humano... con una diferencia importante: el objetivo de la cámara no se acomoda como el cristalino. Para enfocar la imagen sobre la película fotográfica, la lente debe moverse hacia adelante o hacia atrás, hasta conseguir que la imagen del objeto se forme sobre el plano del clisé. Una foto sale desfocada cuando la posición del objetivo es tal, que la imagen perfecta no se sitúa sobre el clisé, sino delante o detrás del mismo.

El ojo y su funcionamiento

Funcionalmente, el ojo se parece a una cámara fotográfica. La pupila corresponde al diafragma de la cámara; puede hacerse más grande o más pequeña y así regula la cantidad de luz que penetra en el ojo. Cuando la luz intensa inicia un reflejo a través de la retina, el sistema nervioso autónomo (que regula los movimientos involuntarios) y un conjunto de músculos dispuestos circularmente en el *iris* llamado *cuerpo ciliar*, se contraen, la pupila se hace más estrecha y el ojo admite menos luz. Inversamente, una intensidad lumínica baja produce señales reflejas a un conjunto de músculos del iris dispuestos como los radios de una rueda. Cuando éstos se contraen la pupila se ensancha y permite que entre más cantidad de luz.

El cristalino, adapta su curvatura de acuerdo con la distancia a la que se halla el objeto que se está mirando, de modo que en la retina se forme una imagen nítida (enfocada) del mismo.

La retina está formada por varias capas de neuronas que inervan una capa de bastones y conos adyacentes a la capa de la coroides. Por lo tanto, la luz tiene que atravesar las capas de neuronas antes de alcanzar los conos y bastones.

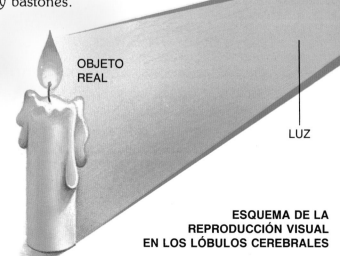

OBJETO REAL

LUZ

ESQUEMA DE LA REPRODUCCIÓN VISUAL EN LOS LÓBULOS CEREBRALES

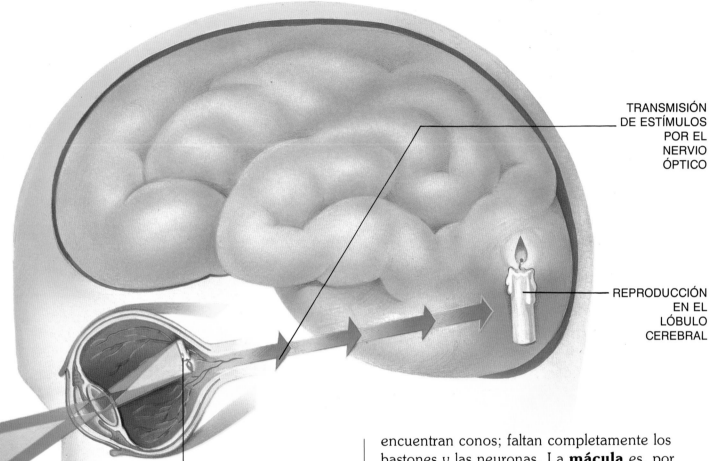

TRANSMISIÓN
DE ESTÍMULOS
POR EL
NERVIO
ÓPTICO

REPRODUCCIÓN
EN EL
LÓBULO
CEREBRAL

IMAGEN INVERTIDA

Las fibras de las capas de neuronas se reúnen en un grueso **nervio óptico** que sale por la parte posterior del ojo en un punto algo descentrado. Es el *punto ciego*. La concentración de los bastones es mayor en la periferia de la retina y disminuye hacia el centro óptico del ojo. Por lo tanto, la periferia de la retina es más eficiente para la visión en blanco y negro. Inversamente, la concentración de conos aumenta hacia el centro óptico de la retina, y esta área central es, por consiguiente, la mejor adaptada para la percepción del color. En la mácula sólo se encuentran conos; faltan completamente los bastones y las neuronas. La **mácula** es, por tanto, el receptor de visión más agudo.

Los rayos de luz que se reflejan en los cuerpos externos, pasan a través del cristalino y forman una imagen en la retina; es como si el objeto que miramos quedase «dibujado» por una serie de puntos. Cada punto corresponde a un cono o a un bastón. Los impulsos que se originan en estos puntos son transmitidos al *lóbulo óptico* de cada hemisferio cerebral. Cada lóbulo óptico recibe así impulsos desde ambos ojos y, normalmente, las interpretaciones visuales de los dos lóbulos dan un solo dibujo del mundo externo. A veces, bajo la influencia del alcohol, por ejemplo, esto no ocurre; se «ve doble».

La bioquímica de la visión

Cuando la luz incide sobre la retina se originan impulsos en las neuronas ópticas. Los conos y los bastones son los receptores que convierten la *energía radiante* de la luz en *impulsos neuronales*. Aunque todavía no se entiende perfectamente cómo se lleva a cabo esta transformación, en los últimos años se ha avanzado considerablemente en el conocimiento del fenómeno, cuya explicación en profundidad requiere amplios conocimientos de bioquímica. A grandes rasgos, sucede que los receptores sensibles a la luz son unos orgánulos celulares de los bastones de la retina, que contienen un **fotopigmento** especial llamado **rodopsina**, o *púrpura visual*, cuando se utiliza un lenguaje menos científico. Este pigmento es químicamente similar en la retina de todos los mamíferos y se compone de dos partes moleculares: una es una variante del **retineno**, un derivado de la vitamina A, y la otra es una variante de la **opsina**, una proteína. La luz separa el retineno de la opsina y en este proceso la energía luminosa es convertida de alguna forma en energía química. Reacciones electro-químicas posteriores generan impulsos nerviosos en las fibras nerviosas. Al mismo tiempo, el retineno se junta de nuevo con la opsina a través de una serie de reacciones que requieren enzimas y ATP (adenosín-trifosfato), que aporta energía, con lo cual se regenera el fotopigmento. La regeneración de la rodopsina es, realmente, una complicadísima secuencia de reacciones químicas encadenadas.

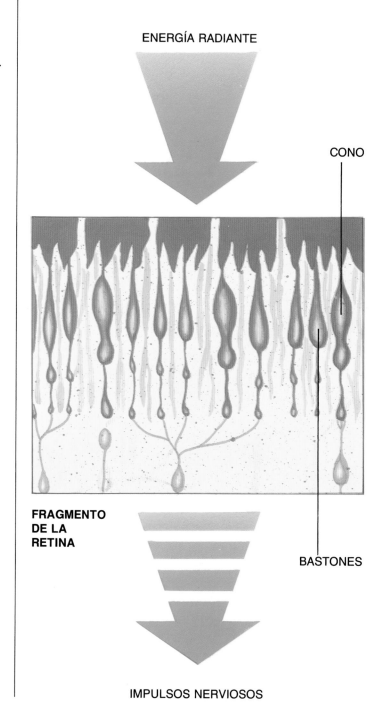

ENERGÍA RADIANTE

CONO

FRAGMENTO DE LA RETINA

BASTONES

IMPULSOS NERVIOSOS

¿Sabías que...

...adaptarse a la oscuridad es un proceso complicado?

La retina puede adaptar su sensibilidad a unas 100.000 gradaciones de luz distintas. Estos cambios, como acabas de leer en la página anterior, se deben en su mayor parte a la rodopsina de los bastones, aunque también en los conos se producen alteraciones que, en menor grado, influyen en la capacidad de adaptación de la retina a los distintos niveles de iluminación. Cuando se pasa de una luz brillante a la oscuridad, los conos se adaptan en aproximadamente 10 minutos, mientras que los bastones tardan de 20 a 25 minutos en conseguir un 90% de su adaptación. Si la retina ha estado expuesta a una luz intensa durante un período prolongado de tiempo, es posible que tarde varias horas en adaptarse completamente a la oscuridad. Por el contrario, las alteraciones que tiene lugar en una persona que pase de la oscuridad a la luz, transcurren en unos pocos minutos.

¿Por qué vemos en tres dimensiones?

La sensación del relieve se debe al fenómeno de la visión binocular, es decir, al hecho de ver con los dos ojos al mismo tiempo. El tener dos ojos aumenta el ángulo de visión y ayuda a juzgar la profundidad; por eso vemos en tres dimensiones. Los ojos están separados unos 6 o 6,5 centímetros uno de otro, lo cual significa que vemos los objetos desde dos puntos de vista distintos, lo cual implica dos ángulos visuales y dos imágenes, una en cada retina. Cuando en ambos ojos la visión es normal, el cerebro es capaz de juntar o combinar ambas imágenes y conseguir la impresión de profundidad o relieve. A este tipo de visión se la denomina **estereoscópica**. En cambio en las personas **estrábicas** las imágenes no se forman en los puntos correspondientes en las dos retinas (lo que normalmente se debe a una anomalía en los músculos del ojo) y la consecuencia es que se vean dos imágenes, lo que se conoce como **diplopia**.

Para que puedas comprobar por tí mismo la influencia de la visión binocular en la percepción visual, te invitamos a realizar la experiencia siguiente:

Coloca una cartulina verticalmente sobre la línea AB de la figura y pon sobre su borde tu nariz y tu frente, de modo que el ojo derecho no vea más que el dibujo de la derecha, y el ojo izquierdo solo vea el de la izquierda. Observarás que las dos figuras geométricas se funden en una sola: un tronco de pirámide en «3-D», visto desde arriba.

Esta sencilla experiencia te demostrará que las dos imágenes que se forman, una en cada ojo, el cerebro las interpreta como una sola imagen tridimensional. Es evidente que al interponer una cartulina entre los dos dibujos cada ojo ve la figura que está de su mismo lado.

En tu ojo izquierdo se forma la imagen del dibujo situado a la izquierda del eje AB, y en el ojo derecho la imagen que está a la derecha. Sin embargo, la sensación visual que se produce en tu cerebro, es, la «suma» de las dos imágenes.

A

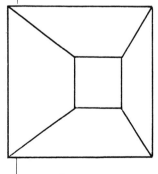
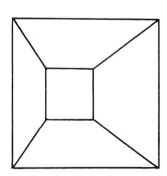

B

La percepción del color

Las zonas de la retina sensibles a la luz se componen de 125 millones de células llamadas bastones y de 7 millones de células llamadas conos. Los conos son los que detectan el color. Se ha supuesto que hay 3 tipos de conos, unos más sensibles al rojo, otros al verde y unos terceros al azul. Estos tres son los colores primarios, que al combinarse en diversas proporciones forman todos los colores de la naturaleza. Los conos sólo actúan cuando hay luz, siendo por ello que, cuando anochece, resulta difícil distinguir los colores. En la penumbra todo es más o menos gris.

La ceguera para el color

Aunque apreciar los colores pueda parecernos lo más normal del mundo, la realidad comprobada es otra: un dos por ciento de los hombres son ciegos para el color rojo (se dice que son *protanopes*) y un seis por ciento lo son para el color verde (son los *deuteranopes*), de modo que, en total, hay un ocho por ciento (8%) de hombres que padecen ceguera para las coloraciones debidas a los primarios rojo-verde.

Se trata de una enfermedad hereditaria relacionada con un cromosoma de las células humanas conocido como *cromosoma X*.

También se la conoce con el nombre de **daltonismo** debido a que su descubridor, el físico inglés Dalton, padecía esta anomalía y la estudió en sí mismo.

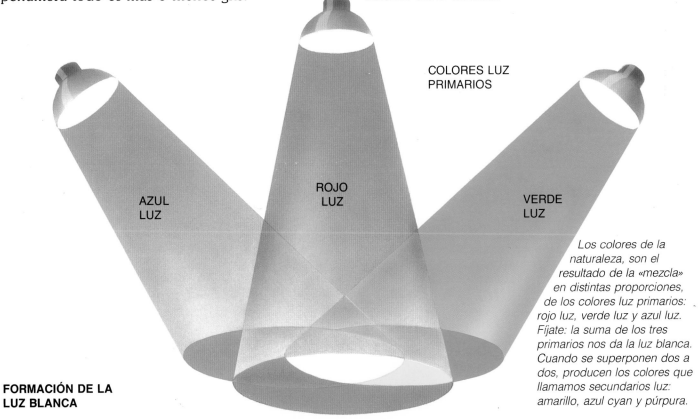

COLORES LUZ PRIMARIOS

AZUL LUZ

ROJO LUZ

VERDE LUZ

FORMACIÓN DE LA LUZ BLANCA

Los colores de la naturaleza, son el resultado de la «mezcla» en distintas proporciones, de los colores luz primarios: rojo luz, verde luz y azul luz. Fíjate: la suma de los tres primarios nos da la luz blanca. Cuando se superponen dos a dos, producen los colores que llamamos secundarios luz: amarillo, azul cyan y púrpura.

Las vías visuales se interrumpen

La apreciación de la luz depende de la llegada de impulsos nerviosos a la corteza cerebral y, en consecuencia, la lesión de un nervio óptico tiene como resultado la ceguera total en el ojo correspondiente.

Si la lesión está en un **tracto óptico**, se producirá una ceguera parcial en los dos ojos que perderán la visión para la mitad del campo visual. Se tratará de una **hemianopsia**, cuyos resultados son de fácil comprensión si se tiene en cuenta que cada tracto óptico contiene fibras procedentes de la mitad lateral de una retina y de la mitad interna de la otra.

Todas las hemianopsias se definen según el campo de visión que se pierde. Por ejemplo: la lesión del tracto óptico derecho produce hemianopsia *homónima* izquierda. Es decir:

Se tratará de una *hemianopsia* porque afecta la mitad del ojo; sera *homónima* porque queda afectado el mismo lado del campo visual de los dos ojos y será *izquierda*, porque los objetos que no se ven son los de este lado.

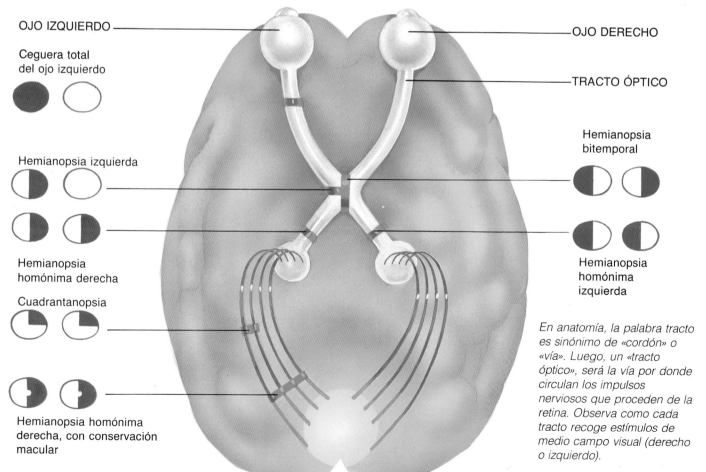

OJO IZQUIERDO

OJO DERECHO

Ceguera total del ojo izquierdo

TRACTO ÓPTICO

Hemianopsia izquierda

Hemianopsia bitemporal

Hemianopsia homónima derecha

Hemianopsia homónima izquierda

Cuadrantanopsia

Hemianopsia homónima derecha, con conservación macular

En anatomía, la palabra tracto es sinónimo de «cordón» o «vía». Luego, un «tracto óptico», será la vía por donde circulan los impulsos nerviosos que proceden de la retina. Observa como cada tracto recoge estímulos de medio campo visual (derecho o izquierdo).

¿Sabías que...

...las ranas ven de una manera especial?

Como ya hemos podido comprobar, el ojo de los vertebrados, el hombre entre ellos, se halla entre los más complejos de los órganos fotorreceptores del reino animal. Por ello, es curioso destacar el ejemplo de la rana.

Se ha descubierto que los elementos fotosensibles de la retina de una rana generan cuatro grupos distintos de impulsos.

Un primer grupo proporciona al animal «un dibujo esquemático» en blanco y negro de las cosas que no tienen movimiento. Un segundo grupo de estímulos proporciona un dibujo esquemático, sólo de los objetos iluminados que se mueven a través del campo visual pero sin afectar el nivel de iluminación que el animal percibe. Un tercer grupo informa de los objetos que, en parte, interceptan la iluminación del campo visual al acercarse a la rana. Se trata, pues, de un mecanismo que la advierte del acercamiento de animales peligrosos. Un cuarto grupo de estímulos informa de los objetos en movimiento que alteran la iluminación pero que no se acercan. Probablemente se trata de un dispositivo detector de insectos, de los que la rana se alimenta.

Esta ranita quizás te parezca un animalito insignificante. Sin embargo, como animal vertebrado que es, sus ojos han alcanzado una enorme complejidad. Son sistemas fotorreceptores de los llamados en «cámara» (constituyen una cámara oscura) y representan uno de los modelos en que ha culminado el proceso de la evolución del órgano de la visión en los vertebrados.

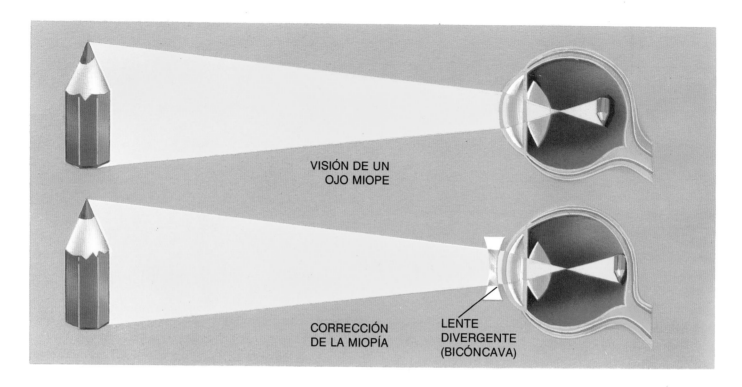

VISIÓN DE UN
OJO MIOPE

CORRECCIÓN
DE LA MIOPÍA

LENTE
DIVERGENTE
(BICÓNCAVA)

¿Por qué hay personas que llevan gafas

De la misma manera que no hay dos caras iguales, no es de estrañar que nuestros globos oculares también tengan formas ligeramente distintas. Así, en algunas personas, en lugar de ser perfectamente redondos, resultan un poco ovalados. Sucede, a veces, que el globo es demasiado largo desde el cristalino al fondo, en cuyo caso los rayos luminosos que le llegan desde los objetos distantes no son enfocados con precisión en la retina. En estos casos se puede mejorar la visión usando una lente, delante del ojo, que corrija la situación del foco de los rayos luminosos, llevándolo sobre la retina.

Veamos cuáles son las principales anomalías de la visión y de qué forma se pueden corregir:

■ **Presbicia.** Hacia los 45 o 50 años, el ojo humano se vuelve *présbita*; suele ser un ojo «cansado» debido a que la facultad de acomodación del cristalino ha disminuido. Este envejecimiento del ojo se corrige fácilmente por medio de gafas. El ojo présbita suele necesitar unos lentes para mirar de lejos y otros para mirar de cerca, o bien, como es muy normal, usar unas gafas bifocales.

■ **Miopía.** El ojo miope no ve claramente los objetos lejanos ni los objetos pequeños situados a distancias «normales» para un ojo sano. Es bien sabido que los miopes tienen problemas para ver las letras con claridad. El miope, en efecto, tiene que acercar considerablemente la página a su ojo. Su distancia mínima de visión es más corta que la del ojo normal, que suele estar entre

Los cristales de las gafas que puede recetarnos un oftalmólogo, no son otra cosa que el complemento óptico que necesita nuestro cristalino para enfocar las imágenes sobre la retina, cuando, por la causa que fuere, no basta para ello la capacidad de adaptación del cristalino. En unos casos se tratará de hacer que los rayos de luz se separen un poco antes de alcanzar el cristalino, a fin de conseguir que la imagen se forme más hacia atrás (miopía) y, en otros, de hacer que los rayos converjan un poco para que la imagen se forme más hacia delante.

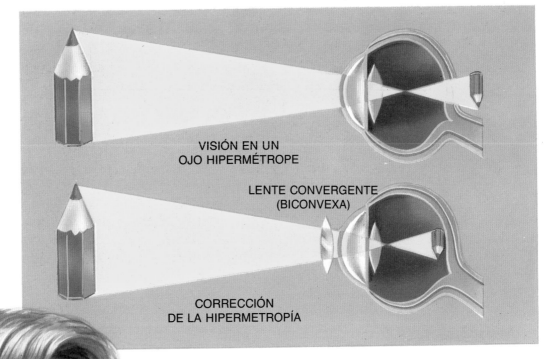

VISIÓN EN UN OJO HIPERMÉTROPE

LENTE CONVERGENTE (BICONVEXA)

CORRECCIÓN DE LA HIPERMETROPÍA

los 10 y los 15 cm. Para los objetos lejanos, las imágenes se forman delante de la retina, ya que el ojo es demasiado largo. El miope debe llevar cristales de bordes gruesos (lentes bicóncavas o divergentes), que corrijan la miopía, separando un poco los rayos luminosos antes de que avancen el cristalino y volviendo a enfocar las imágenes en la retina.

■ **Hipermetropía.** El ojo hipermétrope no ve claramente los objetos cercanos, porque la distancia mínima de visión es mayor que la del ojo normal. Los objetos lejanos se ven claramente, si bien, para que así suceda, el cristalino debe acomodarse. Sin esta acomodación la imagen se formaría por detrás de la retina, ya que el ojo hipermétrope es demasiado corto. La hipermetropía se corrige con cristales de bordes delgados, o sea, con lentes biconvexas.

Más vale prevenir que curar

Hay que revisar la vista

No existe ningún sistema que permita prevenir las anomalías de la visión que has conocido en el capítulo anterior. La hipermetropía, la miopía y la presbicia, hasta cierto punto, son «defectos» de familia, puesto que existe un factor hereditario en la aparición de los mismos. Sin embargo, en la mayoría de casos se trata de efectos fortuitos sobre el crecimiento y desarrollo de los ojos, que es necesario corregir lo más pronto posible para evitar su progresión. Los defectos de la vista pueden influir muy negativamente en el proceso del desarrollo intelectual de los niños, tanto en lo que atañe a la comprensión de su mundo exterior como a su integración en la familia y la escuela. Si se sospecha algún problema de vista en los niños de cualquier edad, hay que llevarlos cuanto antes al oculista para evitarles dificultades innecesarias en los estudios y, en general, en sus relaciones con los demás. Lo ideal sería que se revisaran los ojos a todos los niños antes de empezar la escuela.

Es cierto que, a veces, en las mismas escuelas, se lleva a cabo una ligera revisión de los ojos, y que, de vez en cuando, se lanzan campañas institucionales. Pero también es cierto que, muchas veces, esta revisión de los ojos se aplaza hasta que los niños ya reconocen las letras, a los seis o siete años, edad en la que el niño que desde más pequeño ya tenía problemas de visión, habrá tenido muchas más dificultades en aprender. Si los padres o los hermanos tienen alguna lesión en la vista, hay que llevar al niño a una revisión completa antes de empezar la escuela. Igualmente, cuando aprender a leer representa para el niño un esfuerzo mayor que el normal (le cuesta aprender), es recomendable que lo vea un oftalmólogo.

Yolanda, cuando era más pequeña, tenía problemas para leer. La llevaron al oculista y se vio que era debido a una ligera hipermetropía.
Ahora usa gafas para leer y han acabado todos sus problemas.

¡Cuidado con la luz!

Cuando nos referimos a nuestra capacidad para *ver*, lo normal es que pensemos en los objetos que vemos, sin pararnos a reflexionar sobre el fenómeno de la visión, lo que, como ya sabes, nos llevaría a decir que, en realidad, *lo que vemos es la luz* que tales objetos reflejan. Además, la visión se da para intensidades luminosas comprendidas entre unos mínimos (oscuridad) para los cuales nuestra retina es ciega y unos máximos (deslumbramientos) que sobreexcitan los bastones de la misma.

La luz, en definitiva, puede dañar nuestros ojos, tanto por exceso como por defecto.

Una luz demasiado intensa deslumbra y cansa la retina. Así, a la orilla del mar en verano, la luz que refleja el agua o la arena puede ser motivo de incomodidad de los ojos, aunque es poco probable que tenga efecto permanente. También la luz ultravioleta que refleja la nieve puede tener un efecto parecido. En ambos casos es indispensable utilizar unas buenas gafas de sol, reflectantes o polarizadas, o bien, en último extremo, un sombrero de alas anchas que dé sombra a la cara. No se debe mirar nunca de frente al sol; sus rayos directos, sin reflejar, puede causar graves perturbaciones, como quemaduras en la región central de la retina y especialmente en la región de la *mácula*, con elevado riesgo de ceguera.

Algunos de estos casos de quemaduras en la retina, se han dado en personas que habían contemplado un eclipse de sol sin haber tomado las debidas precauciones.

Por el contrario, una luz insuficiente cansa el ojo e incita a acercarse al libro o al cuaderno cuando estáis leyendo o escribiendo, lo cual determina unos esfuerzos exagerados de acomodación del cristalino, que pueden conducir a una miopía. Para tener una ligera idea de la distancia a la que hay que leer debes saber que lo normal es hacerlo desde 25 a 30 centímetros.

Existen, como sabes, sistemas sencillos para proteger a nuestros ojos de los efectos nocivos de los rayos solares. Las gafas de sol (muy recomendables) y los sombreros de anchas alas son atavíos veraniegos casi imprescindibles para cuantos frecuentan las playas y la alta montaña.

Las infecciones oculares

Los ojos, a pesar de todos los sistemas de protección de que disponen, son órganos muy delicados, expuestos a las acciones nocivas de cuerpos extraños (desde una mota de polvo a una invasión vírica) que pueden producir en ellos procesos infecciosos más o menos importantes.

■ **Ojos inyectados en sangre.** Es un hecho bastante frecuente que los ojos se inyecten en sangre debido a la rotura de un pequeño vaso sanguíneo. Se trata de una anomalía sin importancia que desaparecerá sin ninguna clase de tratamiento después de haber consultado al oftalmólogo.

■ **Las irritaciones.** Las irritaciones pueden ser debidas a un cuerpo extraño metido en el ojo o a una infección producida por un virus. Cuando los ojos enrojecen, se inflaman o lagrimean, y se nota dolor en ello, hay que acudir al doctor.

Cualquier inflamación o dolor del ojo que no desaparezca en dos días también requiere asistencia sanitaria.

■ **Conjuntivitis.** Es una enfermedad infecciosa caracterizada por la inflamación e irritación de la zona blanca del ojo. No suele ser un transtorno grave a no ser que se complique con alguna enfermedad en la córnea. Sin embargo, hay que tener en cuenta que la mayoría de infecciones en los ojos son contagiosas, y por lo tanto es importante que como medida de precaución la persona afectada tenga su propia toalla en el baño.

La superficie de la membrana conjuntiva es muy sensible. ¡Hay que ver lo que llega a molestar una simple mota de polvo! Se produce irritación y las lágrimas no tardan en aparecer.
Para quitar una mota del «blanco» del ojo, actúa con cuidado. Prueba primero si lavándolo con agua corriente la mota es arrastrada. En caso contrario, utiliza la «punta» de un pañuelo, ¡limpio! No utilices nada que pueda llevar suciedad encima. Podrías provocar una conjuntivitis que, aun no siendo grave, siempre es molesta y contagiosa.

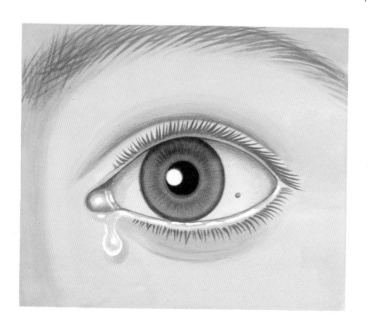

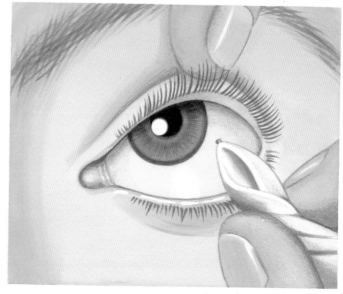

¿Se puede prevenir la ceguera?

La vista es un don demasiado precioso para no prestar atención a sus anomalías. Generalmente, los ojos «avisan». Dolores, escozores, excesos de lágrimas, dificultades al leer, visión de aureolas luminosas, etc., etc., son señales que, de presentarse, deben decidirnos, sin tardar, a consultar un médico oculista.

Una de las causas más comunes de ceguera en los países occidentales es el **glaucoma**. En general admite tratamiento si se descubre a tiempo. Viene caracterizado por el aumento de la tensión en el interior del ojo, consecuencia de la exclusiva producción de humor acuoso. El tipo más común de glaucoma no da signos de advertencia, y sólo se detecta con un examen rutinario. Así, las personas que tienen algún tipo de relación con el glaucoma deberían examinarse los ojos regularmente a partir de los 40 años, puesto que dicha enfermedad tiende a propagarse entre las familias. El glaucoma agudo, menos común, se detecta por dolor de ojos, dolor de cabeza, emborronamiento transitorio de la visión y, por la presencia de aureolas alrededor de las luces. Hay que acudir al médico ante estos síntomas.

También las **cataratas** son frecuentes; incluso más frecuentes que el glaucoma. Esta enfermedad consiste en la pérdida de transparencia del cristalino, que por alteraciones diversas puede llegar a hacerse opaco. El único tratamiento posible consiste en la extirpación del cristalino mediante una intervención quirúrgica ya que poco a poco se produce un incremento gradual de la oscuridad de la visión.

La percepción del sonido

El sonido y sus propiedades

La percepción del sonido, o sea, el hecho de que en nuestro cerebro se produzcan sensaciones sonoras, depende de una serie de estímulos de naturaleza física que, como sucede con los demás sentidos, afectan a un órgano receptor especializado. Este órgano es el oído.

Está claro que, antes de hablar el órgano del oído y del fenómeno de la percepción del sonido, conviene conocer la naturaleza del estímulo que lo produce y las características que podemos distinguir en una sensación sonora. Dicho de otro modo: debemos conocer la naturaleza del sonido y sus propiedades.

La naturaleza del sonido

Digamos, para empezar, que todo sonido se produce a partir de una vibración que se propaga en el aire en forma de ondas sonoras.

La velocidad de propagación (en el aire) de las ondas sonoras, es, aproximadamente, de 340 metros por segundo. El sonido, sin embargo, también se propaga en otros medios, de los que depende la velocidad de propagación. En el agua, por ejemplo, las ondas sonoras se propagan a razón de unos 1.500 m/seg y, en medios sólidos, la velocidad es aún mucho mayor: 4.900 m/seg en el acero, 5.000 m/seg en el vidrio, etc.

Resulta, pues, que desde el punto de vista de la física, el sonido es una vibración producida en un medio (generalmente el aire) y que se propaga en él siguiendo las leyes de lo que los físicos llaman movimientos ondulatorios.

Propiedades o características del sonido

Sabes por experiencia, que no todas las sensaciones sonoras son iguales. Los sonidos, en efecto, tienen básicamente tres características:

■ **Tono.** Es la cualidad del sonido que nos permite distinguir entre sonidos graves y sonidos agudos. Depende de la frecuencia, o sea, del número de vibraciones por segundo. Cuanto mayor es la frecuencia más agudo es el sonido que produce la vibración; más alto es el tono.

■ **Intensidad.** Es la propiedad del sonido que nos permite distinguir entre sonidos fuertes y sonidos débiles o «pianos». Depende de la amplitud o energía de la onda sonora (a mayor amplitud, mayor intensidad) y se mide en una unidad matemática llamada decibelio. Un oído normal, puede responder correctamente hasta intensidades de 130 decibelios. Las intensidades sonoras superiores son nocivas para el oído humano, de modo que, entre 130 y 160 db, pueden producirse lesiones.

■ **Timbre.** Es la propiedad del sonido que nos permite reconocer el cuerpo sonoro que emite la vibración. Distinguimos, por ejemplo, el sonido del violín, del clarinete, etc. El timbre depende de la forma que tenga la onda sonora.

Los órganos de la audición

Los oídos están situados a ambos lados de la cabeza y parte de ellos están situados dentro del hueso temporal. Cada oído tiene tres partes: llamadas **oído externo, oído medio** y **oído interno**.

■ **El oído externo.** La parte del oído externo que sobresale de la superficie de la cabeza, es la oreja o pabellón auricular que, en algunos mamíferos (perros, caballos, elefantes), tienen una gran movilidad para captar mejor las ondas sonoras. En el ser humano son prácticamente inmóviles y su función es poco importante. No obstante, su extirpación supone una pérdida, aunque mínima, de audición. El **pabellón auricular** es un cartílago recubierto de piel cuya superficie presenta diversos repliegues. Del pabellón del oído sale el **conducto auditivo externo**, estrecho y de unos dos centímetros de largo, que termina en la **membrana timpánica** o tímpano, lámina fina y elástica. En la pared de este conducto hay pilosidades y glándulas que segregan **cerumen**, la cera que se forma en el oído externo.

■ **El oído medio.** Está ubicado en una cavidad del hueso temporal que se comunica con la faringe por medio de un conducto llamado **Trompa de Eustaquio**. La superficie interna de esta cavidad ósea está recubierta por una mucosa. Como queda dicho, el oído medio queda separado del oído externo por el tímpano o membrana timpánica. En la pared opuesta de la caja del tímpano se encuentran dos membranas parecidas, situadas una debajo de la

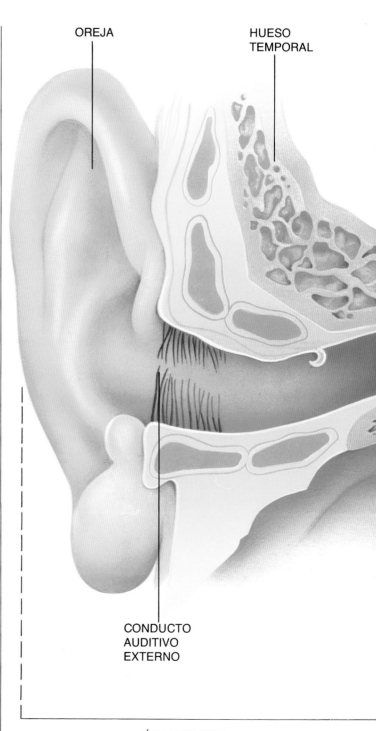

OREJA

HUESO TEMPORAL

CONDUCTO AUDITIVO EXTERNO

OÍDO EXTERNO

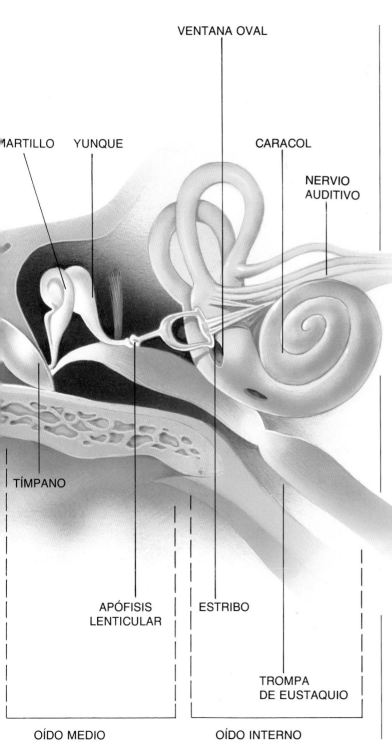

VENTANA OVAL

MARTILLO   YUNQUE

CARACOL

NERVIO
AUDITIVO

TÍMPANO

APÓFISIS
LENTICULAR

ESTRIBO

TROMPA
DE EUSTAQUIO

OÍDO MEDIO   OÍDO INTERNO

otra. Estas membranas tapan sendos huecos existentes en el hueso llamados **ventana oval** y **ventana redonda**. Situados entra la membrana del tímpano y la ventana oval, hay una «cadena» de huesecillos articulados entre sí y dispuestos uno a continuación del otro, llamados **martillo**, **yunque** (con su **apófisis lenticular**) y **estribo**. El primero está unido a la membrana timpánica y el último se adosa a la ventana oval.

■ **El oído interno.** Situado en una tortuosa cavidad del hueso temporal, y separado del oído medio por las ventanas oval y redonda, recibe el nombre de **caracol auditivo**, debido a su configuración en espiral. El caracol, llamado también **cóclea**, está dividido por dos membranas: la **membrana vestibular** y la **membrana basilar**, divididas a su vez en tres compartimentos llenos de líquido. Son la **escala vestibular, escala media** y **escala timpánica**. Las fibras nerviosas del **nervio auditivo**, discurren a lo largo de la membrana basilar e inervan el **órgano de corti**. Esta estructura está formada por fibras de distinta longitud dispuestas a manera de arpa. Sobre estas fibras se asientan unas delicadas células ciliadas que son los auténticos receptores auditivos.

¡Advierte la perfección del mecanismo del oído medio! Sólo tres pequeñas piezas articuladas entre sí (el martillo, el yunque y el estribo) son suficientes para transmitir los movimientos vibratorios del tímpano a la membrana de la ventana oval, ya en el oído interno. Se trata de una transmisión estrictamente mecánica: El martillo se mueve empujado por el tímpano, comunica el movimiento al yunque, éste al estribo y el estribo a la membrana de la ventana oval, que reproduce, en amplitud y frecuencia, el movimiento vibratorio del tímpano.

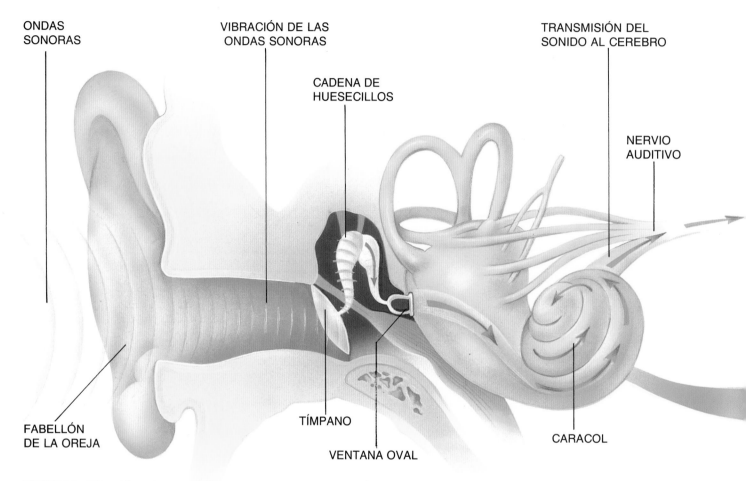

ONDAS SONORAS

VIBRACIÓN DE LAS ONDAS SONORAS

CADENA DE HUESECILLOS

TRANSMISIÓN DEL SONIDO AL CEREBRO

NERVIO AUDITIVO

FABELLÓN DE LA OREJA

TÍMPANO

VENTANA OVAL

CARACOL

Una onda viajera se convierte en sonido

La audición o sensación sonora, se produce a partir de una vibración. Los cuerpos llamados sonoros, cuando entran en vibración, emiten ondas sonoras que se propagan en el medio (el aire, generalmente) en todas direcciones. Estas ondas son comparables a las que se producen en un estanque cuando se arroja una piedra en él. Pero, fíjate en una cosa: si en el estanque hay un cuerpo flotando (un corcho, por ejemplo), cuando la onda lo alcanza, el corcho sube y baja, pero no avanza ni retrocede. Ello te demuestra que, en un movimiento ondulatorio, lo que se transmite en el medio, *de partícula a partícula*, es la energía de la vibración.

Las partículas vibran pero no avanzan en el sentido en que lo hace la onda.

Pues bien; cuando las ondas sonoras son recogidas por el pabellón auricular, se reflejan en sus pliegues y penetran en el conducto auditivo externo hasta que chocan con la membrana timpánica, que empieza a vibrar con una frecuencia y amplitud (intensidad), que depende

**SECCIÓN DEL
CARACOL**

CANAL
COCLEAR

NERVIO
ACÚSTICO

RAMPA
VESTIBULAR

ÓRGANO
DE CORTI

**CORTE TRANSVERSAL
DEL ÓRGANO DEL CORTI**

FIBRAS DEL
NERVIO COCLEAR

CÉLULAS
SONORAS

CÉLULAS
DE SOSTEN

RAMPA
TIMPÁNICA

MEMBRANA
BASILAR

de la frecuencia y amplitud de la onda sonora. El tímpano responde perfectamente a una amplia banda de frecuencias (las frecuencias audibles para el oído humano) y admite, sin riesgo de que el tímpano se perfore, intensidades entre cero y 130 decibelios.

Las frecuencias audibles, para el oído humano están comprendidas entre los 20 c.p.s. (ciclos por segundo) y los 20.000 c.p.s. pero la mayor sensibilidad de nuestros oídos se da para los sonidos cuya frecuencia está entre los 1.500 y los 3.000 ciclos por segundo. La membrana timpánica tiene una elasticidad tal, que deja de vibrar instantáneamente cuando cesa el sonido.

Ningún instrumento musical es comparable a la perfección de nuestro oído interno. El hombre ha creado una serie de instrumentos musicales con los que produce distintas vibraciones en el aire, pero sólo en las células sonoras del canal coclear radica la capacidad de «inventar», en cada instante, el sonido que corresponde a cada vibración, con su tono, su intensidad y su timbre. Y ello, además, no sólo para una vibración aislada, sino para muchas vibraciones simultáneas. Un oído «musicalmente» educado, llega a distinguir el tono (la nota), la intensidad y el timbre de todos los instrumentos de una gran orquesta, incluso cuando suenan todos a la vez. Sin embargo, el oído humano es bastante limitado por lo que respecta a las frecuencias que es capaz de percibir, tanto por el extremo de las bajas frecuencias como por el de las frecuencias altas. Los perros, por ejemplo, perciben altas frecuencias (superiores a 20.000 c.p.s.) para las cuales los hombres somos completamente sordos.

Un producto natural, la cera

Hace unos días que Clara no para de hurgar en su oído izquierdo. Si está distraída, no contesta cuando la llaman y se queja de que su voz le resuena dentro de la «oreja». Además, ha empezado a sentir un zumbido que la pone nerviosa. Sus padres van a llevarla a que la visite un otorrinolaringólogo, ya que todos ellos son síntomas característicos de la existencia de un tapón de cerumen, que el especialista eliminará en un santiamén.

El polvo y la suciedad pueden penetrar, y de hecho penetran, en el oído. La piel que recubre el conducto auditivo externo produce el cerumen, una cera blanda que poco a poco avanza hacia el exterior arrastrando con ella el polvo y la suciedad que, de otro modo, podrían perjudicar y modificar la elasticidad de la membrana timpánica. Además, debido a su acidez, el cerumen actúa como un repelente para insectos, evitando así que puedan alojarse en el conducto auditivo externo. Si el cerumen se endurece demasiado, pude llegar a obstruir el oído y ocasionar una ligera sordera e irritación. Se tratará de un tapón de cerumen que el otorrinolaringólogo deberá sacar del oído mediante una jeringa especial.

Hurgar en el interior del oído externo para eliminar de él el cerumen que se forma, es una mala costumbre, sobre todo cuando se hace con los dedos. Lo único que se consigue es introducir aún más cera, apretándola hacia el tímpano, y con ello obturar el paso y causarnos una incómoda disminución de nuestra capacidad auditiva. Pero no vayas a deducir de todo eso que, los oídos, es mejor no limpiarlos. Las orejas, naturalmente, hay que lavarlas, pero sabiendo que, con ello, sólo podemos eliminar el cerumen que se haya acumulado en la parte externa del conducto auditivo, pero no el posible tapón que pueda haberse formado más cerca del tímpano. Lo mejor para limpiar la zona asequible del oído externo, es utilizar un palillo «de algodón».

¿Sabías que...

...la sordera puede ser una afección congénita?

La sordera puede ser, a veces, una afección congénita que a su vez es causa de la mudez, a menos que se someta al niño a un aprendizaje especializado. Aunque muchos niños sordos aprenden a leer el movimiento de los labios y a usar el poco oído de que disponen, carecen de la capacidad de escuchar su propia voz. Su habla siempre es extraña y a menudo ininteligible para los demás. La sordera puede ser debida a una anormalidad genética hereditaria. Si hay algún pariente sordo en una familia, o lo es alguno de los cónyuges, es muy probable que alguno de lo hijos padezca sordera. Una forma de sordera hereditaria es la llamada *otosclerosis* enfermedad que produce el endurecimiento del tejido óseo del laberinto. La otosclerosis, sin embargo, tiene solución quirúrgica y, actualmente, es una enfermedad curable.

Otros tipos de sorderas congénitas pueden ser debidas a agentes exteriores, como por ejemplo, una infección durante el embarazo causada por el virus de la rubéola.

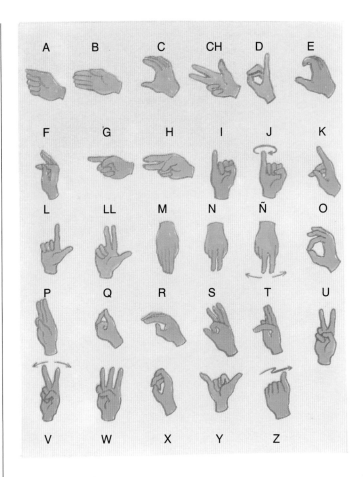

Uno de los métodos más difundidos para hacer posible la comunicación entre los sordomudos y entre ellos y los demás, es el de los signos convencionales, como los que puedes ver en nuestra ilustración. Se trata de un alfabelo en el que cada letra queda representada por una posición de los dedos de la mano derecha. El invento no es reciente, sino que se debe al francés Charle-Michel, abate de l'Epée, nacido en Versalles en 1712 y muerto en París en 1798. Fundó la primera escuela de sordomudos para la cual obtuvo la protección del rey Luis XIV. La Asamblea Nacional Francesa inscribió su nombre entre los Bienechores de la Humanidad, desde luego, muy merecidamente.

Las principales anomalías de la audición

Las sorderas, según sea el órgano que la produce, pueden dividirse en *sorderas nerviosas* y *sorderas de conducción*.

■ **La sordera nerviosa.** Es aquella que se debe a alguna anomalía localizada en el caracol o en el nervio auditivo. Naturalmente, cuando el caracol o el nervio auditivo están gravemente dañados, la persona será definitiva e irremediablemente sorda. No hay ninguna posibilidad de que se produzcan o se trasmitan los estímulos sonoros. Estas sorderas también se llaman de *percepción*.

■ **La sordera de conducción.** Llamada también *de trasmisión*, es toda sordera que se produce como consecuencia de una anomalía en el mecanismo del oído medio, que lo incapacita para transmitir la vibración desde el tímpano hasta el caracol. Pero en estos casos, siempre que el caracol y el nervio auditivo sigan intactos, el hecho de que el sistema de huesecillos se haya enquilosado o haya sufrido algún otro tipo de anomalía, no siempre lleva a la sordera total, porque las ondas sonoras todavía pueden llegar al caracol por conducción ósea.

■ **La otitis media aguda.** Se trata de una enfermedad del oído medio. La cavidad se llena de líquido, que presiona sobre el tímpano y lo comba hacia afuera. En este caso la vibración de la membrana timpánica es imperfecta y la transmisión de la vibración se hace con dificultad. Cuando el proceso se hace crónico, aparecen adherencias en los huesecillos del oído medio que pueden, incluso, llegar a afectar al oído interno, con grave riesgo para la membrana basilar. Éste es un ejemplo clásico de sordera de transmisión, ya que la alteración de la audición se debe a la imperfecta conducción de las ondas sonoras por motivos que podemos muy bien calificar de «mecánicos».

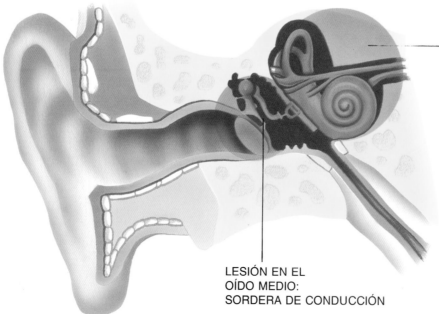

LESIÓN EN EL OÍDO INTERNO: SORDERA NERVIOSA

LESIÓN EN EL OÍDO MEDIO: SORDERA DE CONDUCCIÓN

Las sorderas de transmisión se deben a defectos de carácter «mecánico» que dificultan la transmisión de las vibraciones del tímpano: el defecto puede estar en la misma membrana timpánica o en la cadena de huesecillos que no transmiten correctamente el movimiento vibratorio. Sólo a partir del oído interno empiezan a actuar las terminaciones nerviosas que convierten los estímulos mecánicos en impulsos nerviosos.

La trompa de Eustaquio un sistema de seguridad

El único camino que tiene el aire para entrar y salir del oído medio es la trompa de Eustaquio, un conducto que llega hasta la parte posterior de la nariz y que se comunica con la faringe. Gracias a esta abertura, la presión del aire que hay en el oído medio se iguala con la presión en el exterior, de modo que se equilibran las fuerzas que el aire aplica sobre el tímpano.

Además, la trompa de Eustaquio se cierra, por el lado de la faringe, con una válvula que impide que nos moleste nuestra propia voz. Esta válvula se abre siempre que bostezamos y siempre que tragamos saliva, dos sistemas sencillos de igualar las presiones en nuestro oído. Todos los que viajan en avión están familiarizados con este comportamiento de las trompas de Eustaquio. Cuando al ganar o perder altura la presión cambia con brusquedad, se nos «tapan» los oídos, sensación que se debe a la presión desigual a ambos lados del tímpano, que produce una combadura del tímpano, hacia dentro o hacia fuera. Entonces, un bostezo o el simple hecho de tragar saliva, abre la trompa de Eustaquio y la presión en el oído medio se hace igual a la presión exterior. La membrana timpánica y las membranas del interior del oído medio recobran su posición normal y se nos «destapan» los oídos.

¿Oímos bien?

Para comprobar si una persona oye correctamente, se suelen realizar pruebas de audición mediante diapasones o audímetros, que miden la sensibilidad de cada oído para la banda de las frecuencias audibles y para distintas intensidades.

La prueba más usual es la de **Weber**, que consiste en lo siguiente: se hace vibrar un diapasón y se aplica sobre la frente del individuo, el cual, si tiene una audición normal, localizará el sonido frente a él. En cambio, si padece una sordera de transmisión en uno de sus oídos, le parecerá que el sonido le llega desde el lado del oído defectuoso.

La explicación radica en el hecho de que, el paciente, además del sonido del diapasón, oye otros sonidos de fondo, que sólo detecta el oído sano, mezclados con el sonido del diapasón. En cambio, con el oído enfermo, no percibe los ruidos extrínsecos y sí las vibraciones del diapasón que le llegan sin interferencias transmitidas a través de los huesos. De ahí que las oiga más intensamente con el oído enfermo.

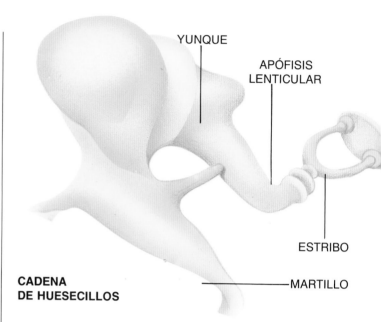

YUNQUE

APÓFISIS LENTICULAR

ESTRIBO

MARTILLO

CADENA DE HUESECILLOS

Otra prueba es la de **Rinne**. El diapasón se aplica sobre la apófisis mastoidea del hueso temporal hasta que deja de percibirse la vibración. Inmediatamente se sitúa el diapasón enfrente del pabellón auditivo. Si se trata de un oído sano, se percibirá de nuevo la vibración, dado que una vibración es siempre más duradera por vía aérea que por vía ósea. En cambio, un oído con sordera de transmisión, sólo percibirá la vibración cuando llegue al oído interno propagada por el hueso temporal.

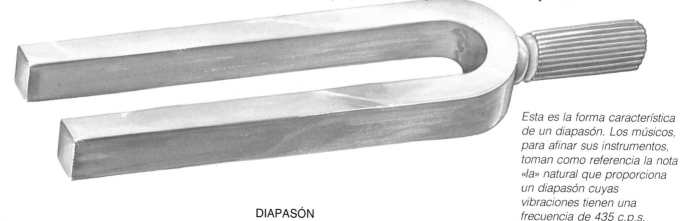

DIAPASÓN

Esta es la forma característica de un diapasón. Los músicos, para afinar sus instrumentos, toman como referencia la nota «la» natural que proporciona un diapasón cuyas vibraciones tienen una frecuencia de 435 c.p.s.

¿Sabías que...

...hay otros modos de «oír»?

Los fonorreceptores, o sea, los órganos que tienen la capacidad de ser sensibles a las ondas sonoras, no son exclusivos del ser humano. También otros muchos animales poseen órganos sensibles a las vibraciones que se producen en el agua y en el aire. La mayoría de los Vertebrados acuáticos poseen fonorreceptores altamente especializados en la piel de la cabeza y del tronco. Se trata de los llamados **sistemas de líneas laterales**, que, esencialmente, están formados por una serie de canales llenos de agua que se comunican con el medio externo a través de poros. El movimiento del agua en estos canales produce impulsos en sus células ciliadas. El sistema de las líneas laterales es capaz de detectar la turbulencia del agua creada por objetos en movimiento o por el mismo pez.

Un sentido de la audición, entendida como capacidad para captar vibraciones, distinto al de los vertebrados es el de algunos artrópodos (ciertos crustáceos, arañas e insectos con patas articuladas). de una manera general, puede afirmarse que sólo los animales que producen sonidos también están preparados para oírlos. En los artrópodos, los órganos receptores se localizan en diversas regiones del cuerpo.

Los órganos auditivos de los insectos responden, generalmente, a este esquema: una membrana vibra al recibir los impactos de las ondas sonoras y esta vibración se transmite a un cuerpo líquido que, al moverse, arrastra las células ciliares sensitivas.

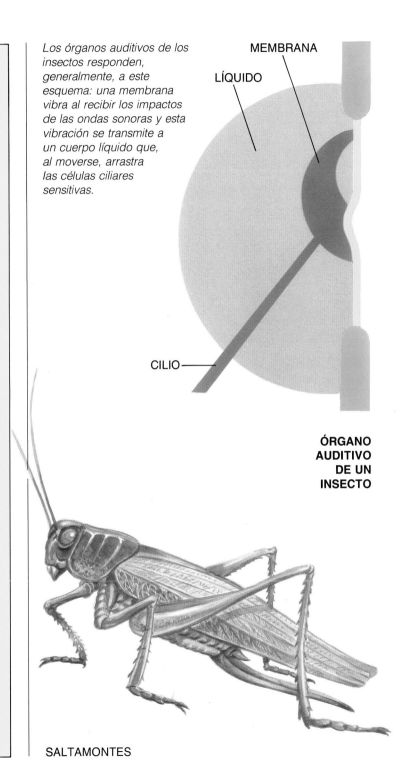

MEMBRANA
LÍQUIDO
CILIO

ÓRGANO AUDITIVO DE UN INSECTO

SALTAMONTES

Más vale prevenir que curar

Defendámonos de los ruidos

Sabemos perfectamente que los ruidos fuertes pueden dañar el oído, pero todavía hay mucha gente que se expone innecesariamente a este riesgo por no llevar una simple protección para sus oídos. Cuanto más fuerte es el ruido, más corto es el tiempo de exposición necesario para producir pérdida de oído. Al principio esta pérdida es transitoria, pero con el tiempo llega a hacerse permanente. El tipo mas perjudicial de ruido es el producido por armas de fuego, especialmente fusiles y escopetas deportivas. La súbita sacudida que sigue al ruido de la explosión es particularmente peligrosos para la cóclea. Se puede prevenir el peligro con el uso de un diafragma especial protector de oídos, que no reduce la capacidad del oído para niveles de intensidad propios en una conversación normal.

El ruido continuo de la industria pesada también puede producir sordera permanente, aunque hasta al cabo de unos años no se perciben los efectos. En las fábricas donde el nivel de ruido supera los 90 decibelios (ruido equivalente al de un taladro neumático), debe proporcionarse al trabajador una protección para los oídos, y éste debe usarla durante todo el tiempo de permanencia en el lugar. Una norma general para prevenir lesiones en los oídos es ésta: no exponerse durante tiempo prolongado a ruidos tan fuertes que no permitan la conversación. También es importante que se reduzca el ruido que producen las fábricas rodeando la maquinaria ruidosa con pantallas reguladoras o con materiales absorbentes de ruido. Y siempre es recomendable el uso de tapones de goma que reducen los niveles de ruido peligrosos.

20 DECIBELIOS

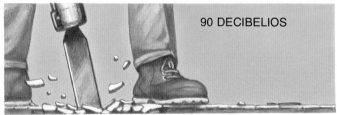

90 DECIBELIOS

130 DECIBELIOS

¿Sabías que...

...los ultrasonidos son muy útiles?

Los ultrasonidos son ondas de la misma naturaleza que las ondas sonoras, pero con una frecuencia elevadísima, tan alta que no son perceptibles para el oído humano, lo cual no quiere decir que no puedan ser percibidos por otros seres vivos. Los ultrasonidos de muy alta frecuencia, son muy direccionales, pudiendo ser enfocados sobre regiones muy concretas y pequeñas del espacio. Pero ¡atención a los efectos destructivos de las ondas ultrasonoras de gran intensidad! Producen efectos destructivos sobre algunos tipos de células, lo cual, si por un lado representa un peligro, cuando el efecto se reproduce bajo control, puede aportar beneficios. Por ejemplo:

■ **En biología**, para la rotura de células en el campo de la investigación genética.

■ **En neurocirugía**, ya que las células nerviosas pueden ser tratadas con un impulso ultrasónico de gran intensidad.

■ **En las técnicas ecográficas.**
Basándose en el fenómeno del eco, los ultrasonidos se utilizan en técnicas diversas, como es, por ejemplo, la técnica de la ecografía para el diagnóstico de diversas enfermedades y lesiones.

En la naturaleza tenemos algunos ejemplos de emisión y recepción de ultrasonidos. Uno de los más conocidos es el de los murciélagos, que se orientan con sus chillidos ultrasónidos, que emiten a intervalos muy cortos y regulares. Estas señales, al reflejarse y volver al animal, le permiten percibir la presencia de obstáculos y cuerpos voladores muy pequeños, compensando su casi total falta de visión.

MURCIÉLAGO

Las principales lesiones del oído y sus causas

■ **Golpes.** Un golpe en la oreja producido por una pelota o por la palma de la mano al dar un bofetón, puede romper el tímpano e incluso los huesecillos del oído medio. De ello puede resultar una sordera de conducción y, también, que el oído duela y sangre. Por esta razón hay que evitar todo tipo de golpes.

De hecho, muchas perforaciones de tímpano, causadas por un golpe pueden curarse, pero en todos los casos será conveniente la opinión del especialista.

■ **Golpes fuertes en la cabeza.** Los traumatismos craneales (golpes en la cabeza) pueden ser también la causa de lesiones en los oídos y, en consecuencia, de sorderas. A veces, el golpe sólo produce desarreglos en el oído medio que se pueden corregir, pero es bastante común que la conmoción haya afectado al oído interno y que la cóclea haya recibido un daño permanente. Una fractura de cráneo puede perjudicar al oído interno, y las hemorragias correspondientes pueden dañarlo sin remisión.

■ **Cuerpos extraños.** Los niños pequeños tienden a meterse cosas en los oídos y en los oídos de sus amigos. Pero los padres y hermanos mayores deben pensar que extraer sin ninguna preparación tales objetos, puede ser más perjudicial que el objeto en sí. Nunca hay que intentar extraerlos sin haber recurrido al especialista o a «urgencias». La mejor manera de sacar los objetos extraños que hayan penetrado en el oído externo es, o bien con una jeringa, o

Los audífonos son aparatos receptores y amplificadores del sonido, de tamaño muy pequeño y formas adaptables al pabellón de la oreja y al oído externo. Llevan un minúsculo micrófono, un amplificador y un auricular pequeñísimo que, en algunos modelos, queda ubicado en el interior del conducto auditivo, muy cerca del tímpano. Las modernas técnicas de fabricación de circuitos integrados han hecho posible la aparición de audífonos de gran calidad y de tamaño muy reducido.

bien con un aparato de succión. Hurgando y probando con «cualquier cosa» puede provocar una hemorragia y el consiguiente dolor, además de hundir todavía más el objeto en el conducto auditivo.

■ **Sordera repentina.** A veces puede aparecer una sordera profunda absolutamente repentina, que en general afecta a un solo oído y cuyas causas, en algunas ocasiones, son difíciles de averiguar. A veces se trata de una interrupción del suministro de sangre a la cóclea a causa de un espasmo o un pequeño coágulo en un vaso sanguíneo. Un tratamiento rápido dirigido a aumentar el suministro de sangre a la cóclea devuelve la escucha al oído. Las formas de tratar estas sorderas pueden ser quirúrgicas o externas, con la aplicación de algún tipo de audífono, es decir, un aparato electrónico que, aplicado al oído, aumenta la intesidad de los sonidos.

Si quieres ayudar a las personas que padecen sordera, debes hablarles claro y sin gritar, procurando que tu cara no esté nunca tapada. De esta forma ellos podrán «leer» en tus labios lo que dices, ya que casi todos son expertos en esta técnica. De esta forma les ayudarás a servirse al máximo de sus posibilidades de comunicación y a sentirse menos marginados. La sensación de no ser comprendido por los demás produce una profunda frustración.

El entusiasmo con que se practican algunos deportes, nunca debería ser motivo suficiente para hacernos olvidar que estamos expuestos a recibir o a propinar golpes fuertes en alguna parte delicada de nuestro cuerpo, como son, por ejemplo, los oídos. La prudencia no está reñida con el espíritu deportivo.

El equilibrio

Su localización

El sentido del equilibrio, o sea, aquellas sensaciones que nos informan en todo momento de la posición de nuestra cabeza con respecto al espacio tridimensional en que nos movemos, residen en el oído interno. El **aparato vestibular** es el órgano sensorial relacionado con el equilibrio. Se compone de un **laberinto óseo** que contiene el **laberinto membranoso**, receptor de los estímulos relacionados con el equilibrio, formado, principalmente, por el **caracol**, los tres **canales semicirculares** y dos cámaras que se llaman **utrículo** y **sáculo**.

El caracol tiene que ver con la audición y no con el equilibrio. En cambio, el utrículo es estimulado por los desplazamientos horizontales y el sáculo por los verticales.

Los órganos del equilibrio dinámico

El equilibrio dinámico, el hecho de no perder la conciencia de nuestra posición durante los movimientos de giro, es posible gracias a los canales semicirculares del aparato vestibular de cada oído. Se denominan **canal superior, canal posterior** y **canal externo**.

En el extremo de cada canal hay una **ampolla**, dentro de la cual hallamos el órgano receptor de los estímulos. Es la **cresta**, provista de finos cilios inervados por un **nervio craneal**.

Los canales semicirculares están llenos de un líquido llamado endolinfa cuyos movimientos empujan a los cilios de las crestas, que se inclinan; se tuercen. Se supone que esta torsión es el estímulo eficaz que inicia la descarga de impulsos nerviosos. Durante la aceleración, los cilios se doblan en un sentido y durante la desaceleración se doblan en sentido opuesto.

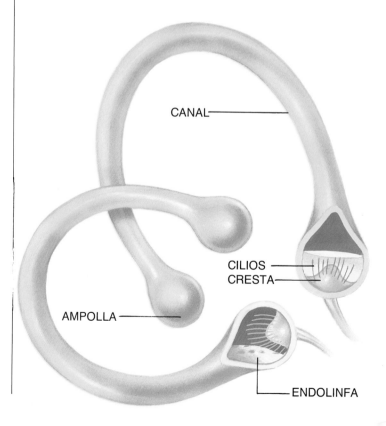

CANAL

CILIOS
CRESTA

AMPOLLA

ENDOLINFA

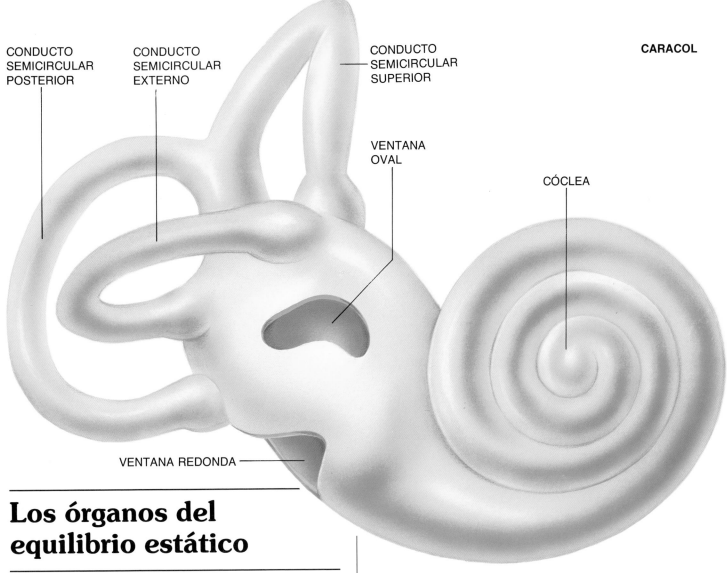

CONDUCTO SEMICIRCULAR POSTERIOR

CONDUCTO SEMICIRCULAR EXTERNO

CONDUCTO SEMICIRCULAR SUPERIOR

CARACOL

VENTANA OVAL

CÓCLEA

VENTANA REDONDA

Los órganos del equilibrio estático

Se entiende por equilibrio estático el que mantiene el cuerpo cuando permanece quieto o cuando se desplaza según su movimiento rectilíneo. Se controla desde los **utrículos**, en cuyo interior se halla localizada la **mácula**, formación de células ciliadas revestidas de una capa gelatinosa donde están incluidas varias pequeñas masas óseas o calcáreas llamadas **otolitos** u **otoconias**.

El utrículo responde a los cambios de posición del cuerpo. Cuando se altera la posición al respecto del campo gravitatorio, las otoconias, influidas por la gravedad, tuercen los cilios de las células maculares, y se inicia la descarga de impulsos en las neuronas vestibulares. Así, el individuo no sólo es consciente de su posición en el espacio, sino que desencadena los movimientos reflejos y voluntarios esenciales para mantener el equilibrio.

Cuando el equilibrio falla

Se ha comprobado que la destrucción del aparato vestibular de un animal, causa en él la pérdida del equilibrio y, en consecuencia, la adopción de posturas absolutamente anormales.

Este fenómeno se presenta de forma particularmente exagerada cuando se destruyen las estructuras de un solo oído. Entonces hay descompensación de impulsos en los músculos del cuello, a consecuencia de lo cual la cabeza gira intensamente hacia un lado y se curva el tronco. En casos extremos, el animal da vueltas permanentemente en un solo sentido.

Las lesiones de estas estructuras en el ser humano no provocan cambios tan patentes de la postura, pero causan vértigos y náuseas. Otros cambios son: palidez, alteración de la presión sanguínea, vómitos y sensación generalizada de inseguridad. Afortunadamente, con un tratamiento adecuado, se supera este estado y, al cabo de uno o dos meses, el individuo queda casi libre de síntomas, si bien su sentido de la posición seguirá siendo muy escaso o nulo, y no responderá adecuadamente a los cambios de aceleración.

¿Tienes buen equilibrio?

Una de las pruebas más simples para descubrir deficiencias en el mecanismo del equilibrio consiste en pedir al paciente que permanezca de pie con los ojos cerrados y los pies juntos. Si no tiene un buen control del equilibrio estático por alguna deficiencia en los utrículos, el individuo oscilará de uno a otro lado y, posiblemente, acabará por caer.

Para probar el funcionamiento del aparato vestibular de cada lado, por separado, se suele colocar agua helada en un oído. El conducto externo se halla muy cerca del oído interno, de modo que la diferencia de temperatura puede afectar la endolinfa de los canales semicirculares. Al enfriarse, la endolinfa se hace más densa con lo cual tiende a ir hacia abajo; la consecuencia es un ligero movimiento de líquido alrededor del conducto semicircular, que estimula dicho órgano, dando al paciente la sensación de que está girando (sensación de rotación) y permite saber si los canales semicirculares funcionan correctamente.

Clara ha leído lo de la prueba del equilibrio y Marcos quiere comprobar cómo funciona. Lo vemos sonriente, en posición de «firmes» y con los pies juntos y los ojos cerrados esperando «a ver qué pasa». Y, lo que va a pasar más pronto o más tarde, es que acabará por tener la sensación de que su cuerpo empieza a tambalearse, o sea, a perder el equilibrio. Marcos, desde luego, aguantará mucho rato, puesto que es un muchacho sano y con un magnífico sentido del equilibrio. Si a los pocos segundos empezara a balancearse, habría motivo para pensar que el muchacho tiene algún problema en sus canales semicirculares.

Precursores del equilibrio: los estatorreceptores

Los estatorreceptores son los órganos encargados de la orientación del cuerpo en relación con la gravedad en muchos grupos de invertebrados y en todos los animales vertebrados.

La mayoría de las veces, estos órganos consisten en un pequeño saco, llamado **estatocisto**, lleno de un líquido y que contiene una formación de células ciliadas. Unido a estas células hay un pequeño grano, duro, calcáreo, llamado **estatolito**. Cuando el animal se mueve, el gránulo varía de posición bajo la influencia de la gravedad y de su propia inercia, de modo que deja de presionar sobre un conjunto de células ciliadas para pasar a presionar sobre otro grupo. Este cambio de la zona sobre la que se apoya el estatolito, es lo que hace que los impulsos nerviosos partan de unas células sensoriales concretas y que el cerebro reciba informaciones precisas sobre la orientación y movimiento del cuerpo.

En la mayoría de los animales los estatorreceptores están situados en la cabeza o en apéndices de la misma, como las antenas de algunos insectos. Sin embargo, en los peces ya aparecen los tres conductos semicirculares con su forma típica. Es a partir de los animales vertebrados que el oído evolucionó primero como un estatorreceptor más complejo y, posteriormente, como un órgano de la audición de elevada sensibilidad.

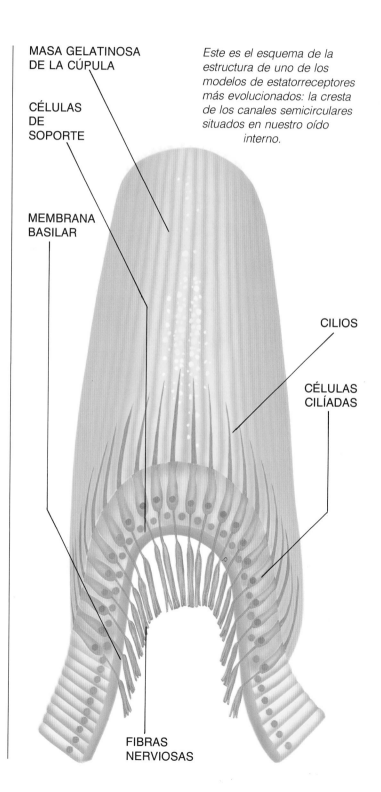

MASA GELATINOSA DE LA CÚPULA

CÉLULAS DE SOPORTE

MEMBRANA BASILAR

CILIOS

CÉLULAS CILÍADAS

FIBRAS NERVIOSAS

Este es el esquema de la estructura de uno de los modelos de estatorreceptores más evolucionados: la cresta de los canales semicirculares situados en nuestro oído interno.

Más vale prevenir que curar

¿Se puede evitar el mareo?

Los mareos en el transcurso de los viajes son frecuentes. Por lo general nos mareamos porque no mantenemos una postura acorde con los movimientos del vehículo en que viajamos y nos dejamos balancear por sus vaivenes. El problema es que el cerebro recibe una información (la que le transmite la vista) distinta a la que recibe el resto del cuerpo.

Para evitar el mareo, es recomendable que se viaje mirando siempre al frente, buscando una referencia visual fuera del vehículo y, por supuesto, siguiendo sus movimientos; inclinando el cuerpo en las curvas, por ejemplo. Charlar con los compañeros de viaje y, ante todo, no obsesionarse por la posibilidad de marearse son, también, remedios preventivos eficaces. Las pastillas, chiclés o supositorios contra el mareo solo deben tomarse si han sido previamente recetados por el médico.

Un caso especial lo configuran los viajes en avión, ya que en ellos no es posible mantener la mirada al frente puesto que el campo de visión se reduce al interior de la cabina. Por eso, para no marearse, lo mejor es mantener un buen estado de ánimo gracias a alguna técnica de relajación y colocar el asiento inclinado hacia atrás para que nuestros órganos del equilibrio estén en una posición neutra.

Gusto y olfato, dos buenos vigías

¿Quiénes protegen nuestro cuerpo?

Como ya hemos visto, el oído y la visión son sensaciones realmente complejas para cuya percepción disponemos de unos órganos muy complicados que se llaman **órganos de los sentidos superiores**. Sin embargo, hay otros órganos más sencillos que también nos permiten percibir otras sensaciones. Nos referimos a la **lengua**, las **fosas nasales** y la **piel** que nos proporcionan las sensaciones del gusto, el olfato y el tacto, respectivamente. Pese a su relativa sencillez no por ello dejan de ser órganos vitales para el cuerpo humano. Veamos ahora cómo se desarrollan sus funciones.

El límite exterior de nuestro cuerpo, es la piel. Ella nos recubre y protege a modo de una eficaz muralla o coraza, repleta de sagaces vigilantes capaces de detectar y descubrir cualquier causa de perturbación. Son las terminaciones nerviosas del tacto y sentidos anejos.

Esta muralla perfecta de la piel deja abiertas dos puertas de entrada: la boca y las fosas nasales, donde residen sendos sentidos: el del gusto y el del olfato, encargados de controlar el aire que inspiramos y los alimentos que

tomamos, a fin de advertirnos de la presencia en ellos de sustancias o cuerpos extraños que pudieran perjudicar al organismo. De este modo, los tres sentidos llamados injustamente inferiores (gusto, olfato y tacto), constituyen un auténtico sistema de protección de nuestro cuerpo al que aportan sensaciones que complementan y amplían las informaciones debidas a la vista y al oído. El tacto, por ejemplo, es una valiosísimo complemento de la vista.

GUSTO

Aprendiendo a saborear los alimentos

La importancia del gusto está en que permite seleccionar los alimentos según los deseos de la persona y en que regula las necesidades de orden nutritivo.

El gusto es el sentido que permite identificar las sustancias líquidas o sólidas mezcladas con la saliva, a partir de la cualidad de las mismas que conocemos con el nombre de *sabor*.

Según estudios realizados, el sabor de un manjar es el resultado de la combinación, en proporciones muy distintas, de cuatro sensaciones gustativas primarias: **ácido, salado,** **dulce** y **amargo**. Es decir: estamos capacitados para distinguir cuatro gustos primarios, siendo la percepción conjunta de estas sensaciones gustativas (influenciadas, como veremos, por las sensaciones olfativas) lo que nos permite identificar el sabor propio de los distintos alimentos. En la «personalidad» de un sabor intervienen dos o más gustos primarios, de la misma forma que los distintos colores son el resultado de la combinación de tres radicaciones primarias: la del rojo, la del verde y la del azul.

El conocimiento del mundo exterior no puede ser completo si falla tan sólo uno de nuestros cinco sentidos. Vista y oído no son suficientes cuando se trata de reconocer un comestible, de captar todo el atractivo de una flor o la textura de nuestra piel. Gusto, olfato y tacto no son, en modo alguno, sentidos sin importancia.

OLFATO

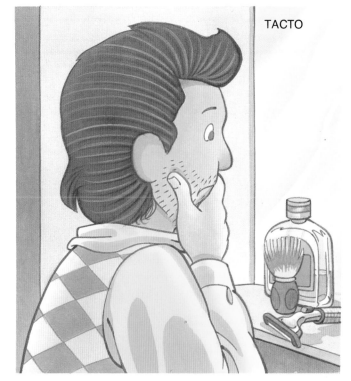

TACTO

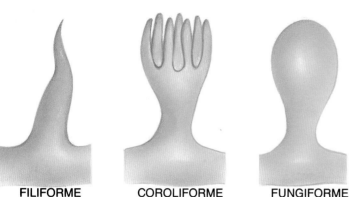

FILIFORME   COROLIFORME   FUNGIFORME

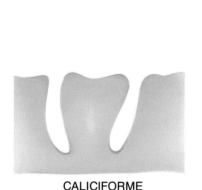

CALICIFORME

FOLIADAS

¿Dónde reside el gusto?

Los estímulos que excitan las células sensitivas del gusto, son de naturaleza química. Por ello los órganos receptores de tales estímulos llevan el nombre genérico de *quimiorreceptores*.

Los quimiorreceptores de los estímulos gustativos se llaman **papilas gustativas**. Están localizadas principalmente en los bordes y en el dorso de la lengua, pero también se encuentran en la *epiglotis*, paladar blando y faringe. Están formadas por células epiteliales modificadas que configuran pequeñísimos organismos en forma de copa, con un pequeño poro que se abre a la superficie mucosa de la lengua. Las papilas gustativas de un adulto miden unas 70 micras de profundidad y 40 micras de diámetro. Los principales tipos de papilas son: las **caliciformes** (en forma de cáliz), las **fungiformes** (en forma de hongo), las **filiformes** (en forma de hilo) y las **coroliformes** (en forma de corola).

De éstas, sólo las papilas caliciformes y fungiformes tienen una auténtica función gustativa, ya que son las únicas que poseen **botones** o **corpúsculos gustativos**. Las

CORPÚSCULO GUSTATIVO

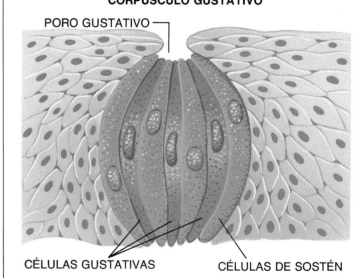

PORO GUSTATIVO

CÉLULAS GUSTATIVAS   CÉLULAS DE SOSTÉN

papilas filiformes y coroliformes tienen función táctil y térmica, es decir, que actúan por el tacto y por su sensibilidad a los cambios de temperatura. Los **botones gustativos** de las papilas caliciformes y fungiformes tienen forma ovoide y están constituidos por unas 5 a 20 **células gustativas**, sensoriales, acompañadas de unas cuantas **células de sostén** de naturaleza epitelial. Tienen un citoplasma lleno de fibras, que forman los **pelos** o **cilios gustativos**, que comunican con el exterior a través de un orificio o **poro gustativo**.

SABOR ÁCIDO

SABOR DULCE

SABOR SALADO

SABOR AMARGO

Los productores de sabores primarios

Veamos qué sustancias son las causantes de las sensaciones gustativas primarias:

■ **El sabor ácido.** La intensidad de la sensación gustativa ácida, es proporcional a la concentración de iones hidrógeno. Es decir, cuanto más alta es dicha concentración, más intensa es la sensación ácida.

■ **El sabor salado.** Depende de la presencia en la saliva de sales ionizadas, como el cloruro de sodio (CINa) o sal común. La calidad del gusto varía de una sal a otra, porque estas sustancias también estimulan otros botones gustativos.

■ **El sabor dulce.** No depende de un solo agente químico o de un solo tipo de sustancias. Por el contrario, las sustancias que causan este sabor pueden ser hidratos de carbono, alcoholes, aldehídos, cetonas, etc., todas ellas de origen orgánico. Los únicos productos químicos inorgánicos que proporcionan sensaciones gustativas dulces son algunas de las sales de plomo y de berilio. Una de las sustancias naturales más dulces es la sacarosa (azúcar de caña o remolacha). La sacarina, sustancia edulcorante sintética, endulza unas 600 veces más que la sacarosa.

■ **El sabor amargo.** Como el sabor dulce, no depende de un solo tipo de agente químico, y también aquí, las sustancias que dan sabor amargo son casi todas sustancias orgánicas. Muchas sustancias utilizadas en medicinas, son amargas: la quinina, la cafeína, la estricnina, la nicotina, etc.

La situación de los botones gustativos

Los botones gustativos no están uniformemente repartidos por toda la superficie de la lengua, sino que se sitúan determinando zonas de mayor o menor concentración.

Un gran número de botones gustativos se hallan en las papilas caliciformes circunvaladas que forman una línea en V en la parte posterior de la lengua. Hay un número moderado de botones gustativos en las papilas fungiformes, en toda la superficie de la lengua. Un número reducido de botones se localizan en las papilas de los pliegues que hay a lo largo de la superficie posterior lateral de la lengua. Hay también botones gustativos adicionales localizados en los pilares de las amígdalas, otros puntos de la nasofaringe, y en la propia pared faríngea.

Este «despliegue estratégico» de los botones gustativos determina zonas sensibles especializadas. Así, los botones sensibles al sabor dulce se hallan localizados principalmente en la superficie anterior de la lengua; los botones que captan la acidez están a ambos lados de la misma; los botones que captan lo amargo, en las papilas de la superficie posterior de la lengua y los botones sensibles a las sales se hallan esparcidos por toda la lengua.

Se ha comprobado que los adultos tienen aproximadamente unos 10.000 botones gustativos y los niños unos pocos más. También, por lo general, a partir de los 45 años de edad muchos de los botones gustativos empiezan a degenerar, haciendo que la sensación del gusto resulte cada vez menos intensa.

LOCALIZACIÓN DE LOS SABORES EN LA LENGUA

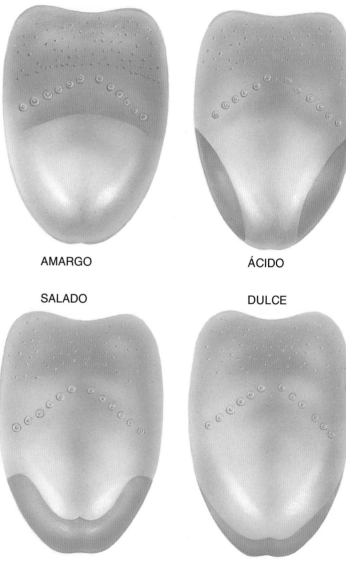

AMARGO

ÁCIDO

SALADO

DULCE

Los catadores de vino apoyan su técnica en el conocimiento que resume esta ilustración: saber en qué zona de la lengua se hallan las papilas más sensibles a cada sabor primario y saber dirigir hacia ellas pequeñas cantidades del caldo que tratan de analizar.

La educación del sentido del gusto (siempre con la colaboración del olfato) puede alcanzar niveles de perfección insospechados y descubrir «matices» de sabor imposibles de percibir para la mayoría de personas, que suelen tener el gusto y el olfato atrofiados.

¿Cómo se transmite una sensación gustativa?

Para que una sustancia pueda estimular las células sensitivas de los botones gustativos, debe ser una sustancia soluble en la saliva, o ser ella misma un líquido. Además, para intensificar el contacto entre la sustancia en disolución y los cilios gustativos, la lengua suele presionarla contra el paladar haciendo que el líquido penetre más fácilmente en las papilas y en sus botones gustativos. Es lo que se denomina saborear o gustar. Las células gustativas, al ser estimuladas, generan el correspondiente impulso nervioso que se transmite a las neuronas acompañantes que, a su vez, desencadenan un impulso nervioso a través de las fibras que inervan las papilas gustativas. Esto es posible en la medida en que las sustancias disueltas penetran por el poro gustativo. Un estímulo químico ha generado un impulso nervioso que llega al área gustativa de la corteza cerebral, donde es identificado el sabor.

En la identificación de los sabores, además de los cuatro gustos primarios, dulce, salado, amargo y ácido también intervienen sensaciones olorosas que los acompañan y, en menor grado, sensaciones térmicas y táctiles (del calor y el tacto).

La sensibilidad del gusto no es la misma para todos los sabores. El sabor más fácilmente perceptible es el amargo y después el ácido, salado y dulce, por este orden. Digamos, además, que en todos los casos está demostrado que sólo se saborea bien durante los primeros segundos, cuando las sustancias entran en los botones gustativos.

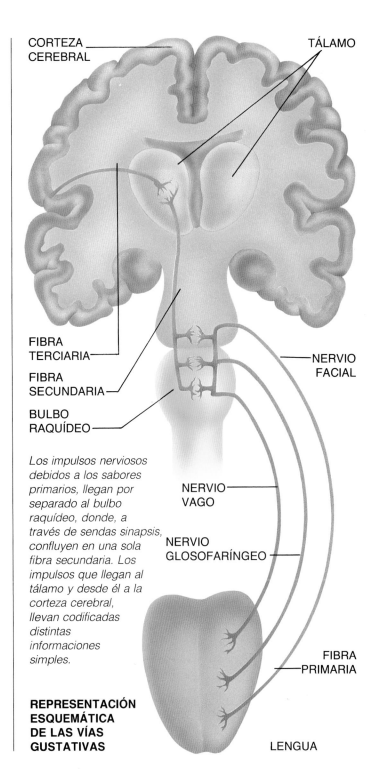

CORTEZA CEREBRAL

TÁLAMO

FIBRA TERCIARIA

FIBRA SECUNDARIA

BULBO RAQUÍDEO

NERVIO FACIAL

NERVIO VAGO

NERVIO GLOSOFARÍNGEO

FIBRA PRIMARIA

LENGUA

Los impulsos nerviosos debidos a los sabores primarios, llegan por separado al bulbo raquídeo, donde, a través de sendas sinapsis, confluyen en una sola fibra secundaria. Los impulsos que llegan al tálamo y desde él a la corteza cerebral, llevan codificadas distintas informaciones simples.

REPRESENTACIÓN ESQUEMÁTICA DE LAS VÍAS GUSTATIVAS

¿Por qué a Marcos le gusta tanto la leche y, en cambio, a Clara le repugna?... No hay ninguna explicación lógica, pero lo cierto es que el gusto es uno de los sentidos más subjetivos (el que más, junto con el olfato), cuyas valoraciones dependen de juicios personales: lo que a ti te gusta, a otros disgusta. No es raro encontrar personas que sienten aversión por manjares que, para la mayoría, son bocados exquisitos.

¿Sabías que...

... el gusto es una sensación muy «personal»?

Muy pocas de las percepciones gustativas corresponden a un sabor primario. Lo normal es que las sensaciones del gusto se deban a diferentes combinaciones e intensidades de los cuatro gustos básicos, con la colaboración del olfato y otras percepciones sensitivas iniciadas en la boca y las fosas nasales, por ejemplo, el calor. Una comida caliente desprende más vapores (por consiguiente huele más) y también estimula en mayor medida los receptores del calor. En consecuencia, una misma comida tendrá «gustos diferentes» cuando esté fría y cuando esté caliente.

Los estímulos químicos conducen a sensaciones subjetivas.

Un mismo «plato» puede gustar muchísimo a determinadas personas y puede resultar menos apetitoso e incluso repugnante para otras.

¿Quieres saber una cosa curiosa?... Existe una sustancia, la feniltiocarbamida, que para ciertos individuos (los indios americanos, por ejemplo) es muy amarga y que, en cambio, para otras razas es completamente insípida, debido, según parece, a un problema genético.

**ÓRGANOS
OLFATORIOS**

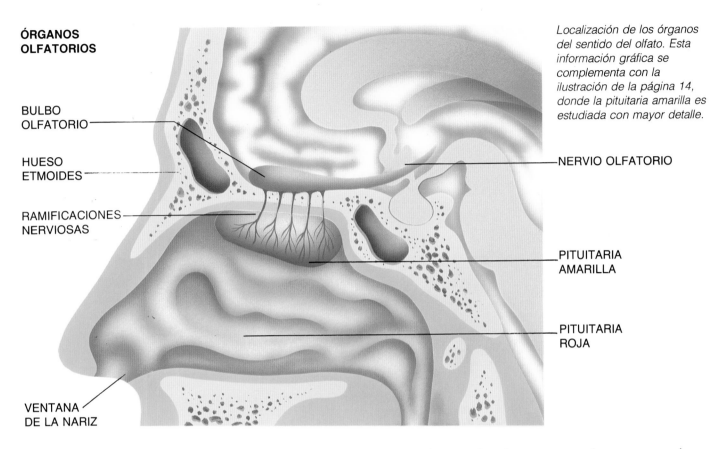

BULBO
OLFATORIO

HUESO
ETMOIDES

RAMIFICACIONES
NERVIOSAS

VENTANA
DE LA NARIZ

*Localización de los órganos
del sentido del olfato. Esta
información gráfica se
complementa con la
ilustración de la página 14,
donde la pituitaria amarilla es
estudiada con mayor detalle.*

NERVIO OLFATORIO

PITUITARIA
AMARILLA

PITUITARIA
ROJA

El olfato, un sentido poco conocido

Probablemente se trate del sentido menos conocido. Esto obedece a dos razones: la localización de la membrana olfatoria en la parte alta de la nariz, donde resulta difícil de estudiar, y al hecho de que el sentido del olfato sea, quizás, el más subjetivo de todos, lo que limita la posibilidad de estudiarlo fácilmente en animales inferiores. Por otra parte el olfato, en el hombre, es un sentido muy rudimentario en comparación con el desarrollo que ha alcanzado en algunos animales tan familiares como el perro, para los que es un sentido realmente vital.

El olfato es el sentido que permite detectar la presencia de sustancias gaseosas. Los quimiorreceptores del olfato se hallan en la **pituitaria amarilla**, que ocupa la parte superior de las **fosas nasales**. Las fosas nasales son cavidades recubiertas, en su parte inferior, por la **pituitaria roja**, mucosa muy vascularizada que calienta el aire inspirado, y en su parte superior, como queda dicho, por la pituitaria amarilla que es una mucosa grisácea constituida por un epitelio cilíndrico que ocupa una superficie de aproximadamente 2,4 cm^2 en la parte superior de cada fosa nasal; ésta es la llamada **área olfatoria**.

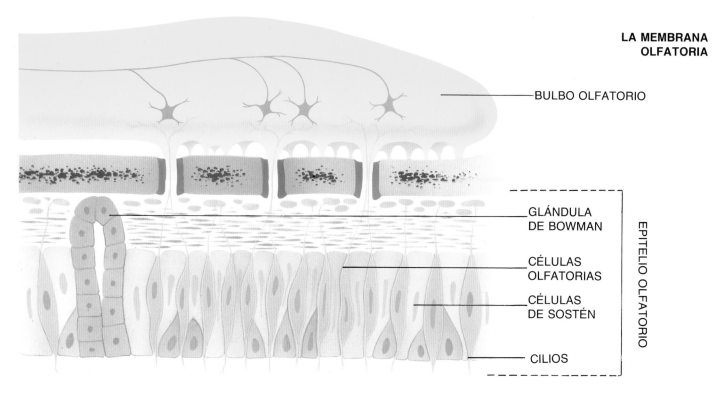

BULBO OLFATORIO

GLÁNDULA
DE BOWMAN

CÉLULAS
OLFATORIAS

CÉLULAS
DE SOSTÉN

CILIOS

EPITELIO OLFATORIO

¿Cómo es la membrana olfatoria?

En la membrana olfatoria o pituitaria amarilla se distinguen tres capas de células y una buena cantidad de glándulas mucosas.

■ **Las células de sostén.** Son células epiteliales cilíndricas cuya función es sostener las células olfatorias. En su banda libre (externa) forman una cutícula que presenta perforaciones por las que salen las terminaciones sensibles de las células olfatorias.

■ **Las células olfatorias.** Son las células receptoras de los estímulos químicos debidos a los vapores. En realidad son células nerviosas que provienen originalmente del sistema nervioso central. Hay cerca de 100 millones de estas células en el epitelio olfatorio, distribuidas entre las células de sostén. Los extremos mucosos de las células olfatorias forman un **botón**, a partir del cual se proyectan muchísimos **cilios** o **pelos olfatorios** de 0,3 micras de diámetro y 3 micras de longitud, y que penetran en el moco que reviste la superficie interna de la cavidad nasal. Se cree que estos pelos olfatorios reaccionan de alguna manera con los vapores del aire y que es a través de dichos cilios que se estimulan las células olfatorias.

■ **Las células basales.** Son las células de sostén más profundas; son cortas y están sobre la dermis que recubre el etmoides.

■ **Las glándulas mucosas de Bowman.** Son pequeñas glándulas inmersas en el epitelio olfatorio, que segregan el líquido que lo mantiene húmedo y limpio.

¿Sabías que...

...algunos insectos tienen un olfato extraordinario?

Las corrientes de aire hacen llegar hasta nuestro órgano olfatorio los vapores que desprenden las sustancias volátiles. Las personas pueden percibir el olor del aceite de menta que se halla en cantidades de 0,024 mg por litro de aire, y el del almizcle artificial en una proporción de 0,0004 mg por litro. Pero ¿podemos decir por ello, que tenemos un gran olfato?

Es cosa sabida que muchos animales como el perro, el gato y, en general todos los cánidos y felinos, tienen el sentido del olfato mucho más sensible que el hombre. Así como para el hombre moderno, el olfato se ha convertido (hasta cierto punto) en un sentido «complementario», para muchos animales es un sentido vital.

Pero lo que quizás no sabes es que entre estos animales se cuentan los insectos. El olfato es el medio de que se valen para localizar el alimento, identificar al otro sexo y descubrir la presencia del enemigo.

Uno de los casos de mayor sensibilidad olfatoria que se conocen es el de algunas polillas y mariposas nocturnas: ¡los machos pueden ser atraídos por el olor de una hembra desde más de un kilómetro y medio de distancia!

MARIPOSA NOCTURNA
BRILLANTE

POLILLA DE
LA HARINA

Evidentemente, no podemos saber cómo son las sensaciones que los distintos vapores producen en los animales. Y, cuando se trata de los insectos, la imposibilidad aún se nos hace más comprensible: los hombres, ¡somos tan distintos! Cuando hablamos del «olfato» de los insectos, sólo podemos referirnos al hecho de que sean capaces de reaccionar frente a estímulos que, en nosotros, producen sensaciones olfativas.

¿Qué hace falta para oler correctamente?

No sabemos qué es químicamente necesario para estimular las células olfatorias. Sin embargo, sabemos las características físicas de las substancias que causan estimulación olfatoria. En primer lugar, la substancia debe ser volátil, desprender vapores que puedan penetrar por las fosas nasales. En segundo lugar, debe ser, por lo menos ligeramente, soluble en agua, de manera que pueda disolverse en el moco, y llegar a las células olfatorias. En tercer lugar, también ha de ser soluble en los lípidos, que son sustancias parecidas a las grasas y que, como ellas, no se disuelven en agua, pero sí en alcohol o éter. Esta condición es necesaria, probablemente, porque los pelos olfatorios y extremos externos de las células olfatorias están formados principalmente por materiales lípidos.

Sea cual fuere el mecanismo básico por virtud del cual las células olfatorias son estimuladas, es sabido que sólo se estimulan cuando el aire penetra hacia arriba en la región posterior de la nariz. Por lo tanto, las condiciones físicas para la sensación olorosa sólo se dan durante las aspiraciones, lo cual indica que los receptores olfatorios responden a los agentes volátiles en milésimas de segundo. Como la intensidad del olfato aumenta en proporción directa al caudal de aire que pasa a través de las partes más altas de la nariz, una persona puede ver incrementada considerablemente su sensibilidad olorosa al aspirar intensamente, o sea, olfateando.

Las células olfatorias transmiten un impulso nervioso al bulbo olfatorio y éste a los centros

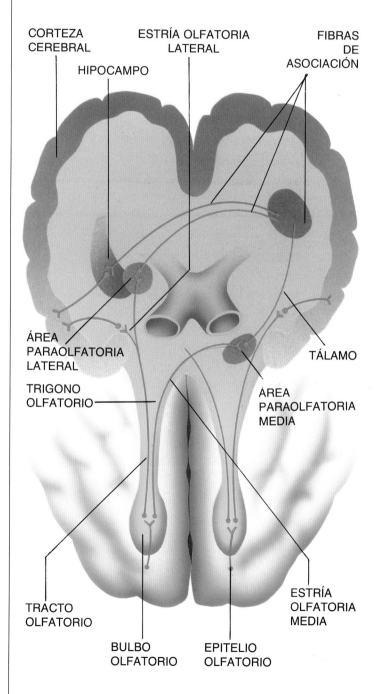

VÍAS OLFATORIAS

CORTEZA CEREBRAL

HIPOCAMPO

ESTRÍA OLFATORIA LATERAL

FIBRAS DE ASOCIACIÓN

ÁREA PARAOLFATORIA LATERAL

TRIGONO OLFATORIO

TÁLAMO

ÁREA PARAOLFATORIA MEDIA

TRACTO OLFATORIO

BULBO OLFATORIO

EPITELIO OLFATORIO

ESTRÍA OLFATORIA MEDIA

olfatorios de la corteza cerebral, que es donde se aprecia e interpreta la sensación: se sabe que «algo» huele y a qué huele. Lo segundo, naturalmente implica una experiencia anterior que haya «grabado» en la memoria aquel olor que ahora asociamos a la causa que lo produce y que, por ejemplo, nos permite identificar un alimento por su olor: olor a pescado, a naranja, a chocolate, etc.

Lo mismo que en el sentido del gusto, la gran variedad de olores que podemos identificar, es el resultado de la percepción conjunta de unas sensaciones olorosas básicas. Se cree que existen unos siete tipos de células olfatorias, cada una de las cuales es sólamente capaz de detectar un tipo de moléculas. Según sean los tipos de células olfatorias estimuladas y la proporción de cada una, en el cerebro se apreciará un olor u otro.

Se han llegado a concretar unas siete categorías distintas de olores, u olores primarios, que son: alcanforado, (que huele a alcanfor) almizclado, floral, mentolado, etéreo, (que huele a éter) picante y pútrido, o sea, olor a podrido. El almizclado es uno de los olores que más fácilmente percibe el olfato humano.

Las células olfatorias llegan a fatigarse; es decir, tras un largo período percibiendo una misma sustancia, dejan de emitir impulsos nerviosos respecto a ella, pero en cambio, se siguen detectando los demás olores.

El mecanismo de la discriminación olfatoria se conoce muy poco, al igual que apenas se tienen datos sobre el papel que el olfato juega en diversas funciones. Se sabe, por ejemplo, que en muchos animales tiene una relación directa con el sexo.

Si hay obras de arte para ser disfrutadas con la vista (las que pertenecen a las artes plásticas) y otras hechas para ser escuchadas (música, teatro, poesía...) ¿por qué no dar valor a las obras de arte creadas para ser disfrutadas con el olfato? Ciertamente, la perfumería es un verdadero arte, cuya existencia se remonta a las civilizaciones más remotas. En el Antiguo Egipto, por ejemplo, el arte de los perfumistas tuvo una enorme importancia social. Sin embargo, hoy día, el olfato es un sentido constantemente agredido por los ambientes contaminados, y sería bueno que te esforzaras para no perder el interés por los buenos olores.

Más vale prevenir que curar

Nuestro amigo Marcos, se ha quedado completamente insensible a los olores. Su nariz ha empezado a destilar más de la cuenta, los estornudos se suceden y la sensación de irritación va en aumento. «He pillado un buen resfriado», piensa Marcos. Sin embargo, también es muy posible que se trate de una rinitis alérgica provocada por el polen de las flores. Pero lo que más molesta al muchacho, es haber perdido también el sentido del gusto. ¡Todos los manjares le saben igual!, o sea, a nada. Es que el olfato complementa de tal modo el sentido del gusto, que muchos sabores no son identificables si no es con la percepción previa de un olor característico.

Enfermedades que afectan al gusto y al olfato

Las enfermedades de la garganta y de la nariz son las que normalmente afectan más al sentido del gusto y, cuando estamos resfriados, nuestra capacidad para distinguir los sabores es mucho menor que en condiciones normales.

■ **La faringitis**, o inflamación de la faringe, también puede afectar al sentido del gusto. Muchas faringitis son debidas al abuso del tabaco, del alcohol o a que la vida de la persona se desarrolla en lugares contaminados; con mucho humo por ejemplo. La contaminación del ambiente es causa de muchas enfermedades que afectan a la nariz y la garganta.

■ **La rinitis**, o inflamación de la mucosa olfativa o pituitaria es la enfermedad más habitual de la nariz. Afecta al olfato y, normalmente, se produce por una alergia o un resfriado. Las alergias son reacciones que tienen algunas personas ante sustancias que son inofensivas para otras. Por ejemplo, el polen de algunas plantas, que es inofensivo para la mayoría de las personas, produce en otras una rinitis alérgica.

El tacto, sentido múltiple

Los receptores de la piel

La piel tiene sus propios recursos para captar información del mundo exterior. Sus receptores captan estímulos distintos que se convierten, en nuestro cerebro, en sensaciones también distintas. Así, los mecanorreceptores son estructuras cuya función es registrar los estímulos del tacto y de la presión y también existen receptores sensibles a los cambios de la temperatura a los que debemos las sensaciones de frío y calor. Son, generalmente, terminaciones nerviosas libres.

Unos y otros, conjuntamente, constituyen un complicado y eficaz sistema de receptores cutáneos. Además, según como se combine la acción particular de estos receptores, aparecen otras sensaciones: la sensación de quemadura, de cosquilleo, de punzamiento y de «adormecimiento» de las extremidades superiores e inferiores.

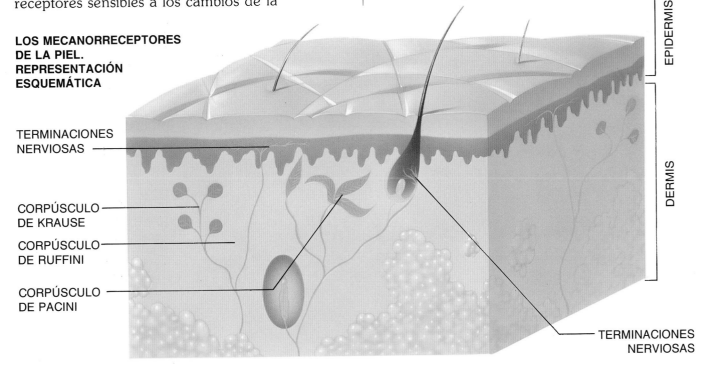

LOS MECANORRECEPTORES DE LA PIEL. REPRESENTACIÓN ESQUEMÁTICA

TERMINACIONES NERVIOSAS

CORPÚSCULO DE KRAUSE

CORPÚSCULO DE RUFFINI

CORPÚSCULO DE PACINI

EPIDERMIS

DERMIS

TERMINACIONES NERVIOSAS

Los diferentes receptores táctiles

Cada zona de la piel está relacionada, por vía nerviosa, con una zona del área sensitiva de la corteza cerebral, de modo que el cerebro no sólo identifica la naturaleza del estímulo (presión, punzada, calor, etc.) sino que también localiza el lugar exacto donde se ha producido. De este modo podemos localizar siempre la impresión táctil.

Los receptores tactiles

Pueden ser *terminaciones nerviosas libres* o bien *terminaciones nerviosas encapsuladas*, que son los llamados **corpusculos tactiles**. Hay varios tipos de receptores táctiles:

■ **Terminaciones nerviosas libres** y **terminaciones nerviosas de los pelos.** Son sensibles al contacto. Los pelos al rozar con los objetos, actúan como palancas que estimulan las terminaciones sensitivas.

■ **Corpúsculos de Meissner.** Se encuentran en las papilas dérmicas y son muy abundantes en los pulpejos de los dedos, en los que hay de 100 a 200 por cm², y en la lengua, uno de nuestros órganos más sensibles. Los pequeños corpúsculos de Meissner miden unas 100 micras y son sensibles al contacto.

■ **Corpúsculos de Vater-Pacini.** Están en la parte más profunda de la dermis y son poco abundantes. Son corpúsculos sensibles a las deformaciones de la piel, es decir, a las diferencias de presión o fuerzas ejercidas sobre la piel. Son grandes, puesto que miden unos 4 mm de longitud máxima.

■ **Corpúsculos de Krause.** Están en la superficie de la dermis, son sensibles a las bajas temperaturas. Miden unas 50 micras y a ellos se debe la sensación del frío.

■ **Corpúsculos de Ruffini.** Son corpúsculos muy alargados localizados a mayor profundidad que los de Krause y en menor números que éstos. Son minúsculos órganos sensibles a los aumentos de la temperatura y a ellos debemos la sensación del calor.

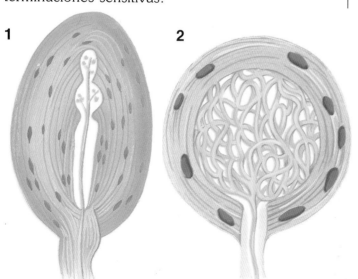

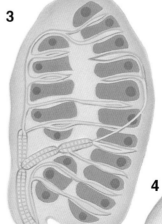

CORPÚSCULOS TÁCTILES

1. VATER-PACINI
2. KRAUSE
3. MEISSNER
4. RUFFINI

La sensibilidad táctil

El sentido del tacto es el que nos permite emitir juicios sobre la superficie de los cuerpos y su extensión. La sensibilidad táctil nos capacita para distinguir una superficie lisa de otra áspera, saber si es plana o si hay en ella ondulaciones, etc. También, por el tacto, tenemos una idea de la extensión de los cuerpos.

Los receptores táctiles, en este caso, son las terminaciones nerviosas libres, las asociadas a pelos y los corpúsculos de Meissner. Para que los receptores táctiles sean estimulados es preciso que entren en contacto directo con el objeto «explorado». Además, no todas las áreas de nuestra piel son sensibles al contacto; sólo lo son algunas de ellas, realidad que puede comprobarse al explorar la piel con un cepillo de cerda. Las áreas más sensibles al tacto son las yemas de los dedos y la punta de la lengua, ya que en ellas hay una gran acumulación de corpúsculos de Meissner. En estas zonas es donde hay mayor poder de discriminación táctil, o capacidad de distinguir dos puntos muy próximos. Esta agudeza táctil se puede medir mediante un compás táctil de puntas romas. Se busca la separación mínima entre los puntos de la piel que den dos sensaciones distintas. Se comprueba que, si bien en la extremidad de los dedos se necesitan apenas 2 mm, en la piel de la espalda es necesaria una separación de 7 cm. La adaptación táctil es muy rápida; en seguida se deja de sentir el contacto, por eso no notamos la ropa, el anillo o el reloj que habitualmente llevamos puesto.

Los muchachos realizan ejercicios para aprender a distinguir formas y texturas sólo con la ayuda del tacto, un sentido mucho más importante de lo que la gente suele pensar.

¿Hace calor o frío?

La sensibilidad a los cambios de temperatura es la que nos permite detectar si un ambiente o un cuerpo está más frío o más caliente que nuestro propio cuerpo. Sin embargo, no nos permite detectar la temperatura exacta, ni siquiera con una aproximación apreciable. Es decir: lo único que percibe la piel son las variaciones de la temperatura. Para comprobarlo prueba a hacer la siguiente experiencia: mantén durante algunos minutos la mano izquierda en agua más o menos fría (10° C) y la mano derecha en agua templada (40° C). A continuación pon ambas manos en agua a unos 25° C, ¿qué notas?. En la mano izquierda calor (de 10° C ha pasado a 25° C) y en la mano derecha frío, porque en ella se detecta una bajada de temperatura (de 40° a 25°).

Los responsables de esta sensación son los corpúsculos de Ruffini, que absorben calor; (permiten la entrada de calor al organismo) y los de Krause que ceden calor (permiten que el calor corporal pase al exterior). Como los de Krause son más superficiales y más numerosos, las personas son más sensibles al frío que al calor. La sensación de calor se percibe más lentamente, por eso es relativamente fácil quemarse al sol si no se actúa con precaución.

SENSACIÓN DE CALOR

SENSACIÓN DE FRÍO

La presión que soportamos

La sensibilidad a la presión nos permite detectar las variaciones de los esfuerzos que soporta la piel. Los mecanorreceptores de la presión son los corpúsculos de Vater-Pacini. Para que funcionen es importante que se produzca más presión en un punto que en otro de la piel, es decir que se dé al mismo tiempo la percepción de dos presiones distintas, ya que la sensación es más evidente cuando lo que se identifica es una diferencia de presión. La adaptación a la presión es lenta. Aparece como consecuencia de superar un cierto umbral en la sensación táctil, pero no siempre es así. Si se introduce una mano dentro de mercurio, como la presión es homogénea, no se obtiene la sensación de mayor presión, excepto en el brazo, justo al nivel de la supeficie del mercurio, donde sí hay deformación cutánea debida a la diferente presión entre las dos zonas. También, al quitarnos los zapatos que nos vienen estrechos, la sensación de presión no desaparece inmediatamente sino que perdura un cierto tiempo. La disposición de los puntos de presión corresponde a la de los puntos de temperatura. Las series o cadenas de puntos de presión siguen casi siempre una dirección distinta que la de los puntos de calor y frío, aunque en general, están más apiñadas las series de los detectores de la presión que las de los detectores del frío y calor. Así pueden sentirse dos puntos de presión a la distancia de 0,8 mm en el pecho, de 0,6 a 0,8 mm en el brazo, de 0,1 a 0,5 mm en la palma de la mano y de 0,8 a 1 mm en la planta del pie, zona también muy sensible.

¡Qué alivio cuando podemos liberarnos del zapato que nos ha estado martirizando! Hay quien afirma que se trata de una de las sensaciones más placenteras de cuantas uno puede imaginar. Lo que sucede es que, como la sensación dolorosa debida a la presión no desaparece de una forma brusca, sino que lo hace paulatinamente, tenemos tiempo de «saborear» el beneficio, o sea, de pasar del dolor a la ausencia de dolor de una forma consciente.

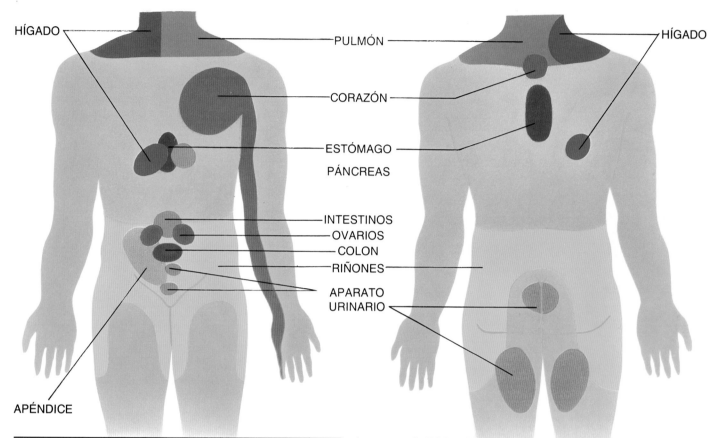

HÍGADO — PULMÓN — HÍGADO
CORAZÓN
ESTÓMAGO
PÁNCREAS
INTESTINOS
OVARIOS
COLON
RIÑONES
APARATO
URINARIO
APÉNDICE

Las sensaciones de dolor

El dolor, aunque no te lo creas, es un mecanismo protector del cuerpo: se produce siempre que un tejido es lesionado, y obliga al individuo a reaccionar de forma refleja para suprimir el dolor. Además, nos permite detectar la gravedad de una lesión externa y el estado interno de los órganos, para poder actuar en consecuencia antes de que exista un verdadero peligro de muerte. El dolor se percibe a través de terminaciones nerviosas libres, que son muy abundantes en la piel (170 por cm²). Como dato curioso, te diremos que se ha calculado que hay unos 3.500.000 puntos sensibles a los pinchazos en toda la superficie del cuerpo, en la cual se delimitan una serie de zonas en las que se producen sensaciones dolorosas debidas al mal funcionamiento de los distintos órganos internos. Hay que tener en cuenta, además, que cualquier sensación de presión, frío o calor, si es muy intensa, provoca una sensación dolorosa en la que también influye el estado de conciencia del individuo: el cansancio y las distracciones disminuyen el dolor. No hay, pues, adaptación inconsciente al dolor, de modo que la insensibilidad, cuando es necesario, debe provocarse mediante analgésicos o por la anestesia total o local, que elimina temporalmente las sensaciones dolorosas.

¿Sabías que...

...el dolor puede ser de diferentes tipos?

Se dice que el dolor puede ser de tres tipos diferentes: quemante, punzante y continuo.

El dolor quemante, como su nombre indica, es el tipo de dolor que se experimenta al quemarse la piel. Puede ser intensísimo, y es la variedad de dolor que hace sufrir más.

El dolor punzante. Se percibe cuando se pincha la piel con una aguja, o cuando es cortada con un cuchillo. También se percibe muchas veces cuando una zona amplia de la piel sufre una irritación difusa, pero intensa.

El dolor continuo no se percibe habitualmente en la superficie del cuerpo; se trata de un dolor profundo que causa grados diversos de molestia. El dolor continuo, aunque sea de poca intensidad, cuando se percibe en zonas amplias, se va sumando y produce una sensación muy desagradable. Además de estos tres dolores tipo existen otros matices como son las sensaciones dolorosas nauseosas, los calambres, etc.

¡Vaya por Dios! La poca práctica en ciertos menesteres domésticos, a veces se pagan caros. El hermano mayor de la familia, antes de ver la sangre, ha sentido un dolor punzante, a causa de la penetración del filo del cuchillo en su piel. La reacción inmediata ha sido la de separar el dedo herido de la causa del mal, o sea, del cuchillo. Ha reaccionado con lo que se llama un acto reflejo, una respuesta automática a un estímulo desagradable. Dentro de poco, el hermano mayor de Marcos empezará a sentir otro tipo de sensaciones dolorosas: escozor, sobre todo, un «matiz» de dolor muy especial, cuyas características pueden situarse entre el dolor punzante y el dolor quemante.

Más vale prevenir que curar

Atención a las quemaduras

Se agrupan bajo la denominación de quemaduras las lesiones debidas a la acción del calor bajo todas sus formas y las que producen los productos <u>cáusticos</u>.

Como principales causas de quemaduras tenemos: el sol, el contacto con líquidos hirvientes, metales o cuerpos sólidos que han alcanzado una temperatura muy elevada, las llamas, la electricidad, y el contacto o ingestión de productos cáusticos.

Las quemaduras en orden creciente de gravedad se clasifican en 3 grados:

Quemaduras de 1.er grado. Rojez simple de la piel, es la típica insolación o **eritema**.

Quemaduras de 2.º grado. Ampollas. Por ejemplo, las ocasionadas por líquidos hirvientes.

Quemaduras de 3.er grado. Destrucción de todo el espesor de la piel y hasta de otros órganos más profundos, como huesos y músculos.

Los niños están especialmente expuestos al peligro de las quemaduras. Por ello conviene que se tomen medidas de precaución:

• Aislar estufas y radiadores.

• En la cocina, colocar siempre los cazos y sartenes con el mango hacia adentro.

• Guardar las cerillas en lugares altos y cerrados.
• Mantener los productos cáusticos lejos del alcance del niño.
• Proteger enchufes y electrodomésticos de forma que los niños no puedan recibir descargas eléctricas.

Y, por supuesto, instalar sistemas de seguridad que impidan a los niños acceder a los lugares, donde el riesgo es mayor.

Para ello son muy prácticas las pequeñas puertas con barrotes que cierran el recinto peligroso pero que no aíslan al niño del adulto.

Yolanda se ha dormido bajo el fuerte sol que en julio cae sobre la playa. Aunque esté muy acostumbrada a tomar el sol, alguien debería advertirla del riesgo que está corriendo. Sin sombrilla bajo la que resguardarse y sin ningún tipo de protección, los efectos de los rayos solares (principalmente los ultravioleta) sobre la piel de la niña, pueden traerle malas consecuencias. Es casi seguro que, de seguir demasiado tiempo tumbada al sol, será inevitable que acabe con quemaduras de primer grado.

Glosario

abombado Forma curva de la superficie de una cosa, como si estuviera hinchada por la parte central.

aceleración Incrementos que experimenta la velocidad de un móvil (cuerpo en movimiento) en cada unidad de tiempo. En lenguaje llano significa ir cada vez más aprisa. Cuando la velocidad disminuye en cada unidad de tiempo, decimos que se trata de una aceleración negativa o *desaceleración*.

adyacente Situado al lado de otra cosa con la que tiene una parte o zona común. Contiguo.

aferente Palabra que significa «que conduce» y que, en anatomía, se aplica a aquellas vías (vasos o nervios) cuyo sentido de la conducción es centrípeta, o sea, que va desde fuera hacia adentro. Los nervios sensitivos son vías aferentes porque conducen impulsos nerviosos desde la periferia (piel y órganos de los sentidos) a los centros nerviosos.

almizclado Que contiene almizcle, substancia aromática que se obtiene de una glándula situada en el vientre del almizclero, un rumiante asiático del tamaño de un cabrito.

apófisis mastoidea Parte saliente del hueso temporal, que se localiza detrás del pabellón del oído (oreja).

audímetro Aparato electroacústico que permite la emisión de todas las frecuencias de la banda audible con intensidades crecientes o decrecientes. Los audímetros se utilizan, en medicina, para determinar la sensibilidad del oído para cada una de las frecuencias.

autónomo Que es independiente o que se gobierna por sus propias leyes. En anatomía, el sistema nervioso que actúa con independencia del sistema central.

bulbo En anatomía, cualquier parte o prolongación de un órgano, u órgano entero, cuya forma recuerda la de un bulbo vegetal, como son, por ejemplo la cebolla o el puerro.

cáusticos Se denominan así las substancias químicas que queman o corroen los tejidos orgánicos.

células ciliadas Células que poseen un finísimo pelo o cilio. En las células libres (seres unicelulares) los cilios suelen ser el aparato locomotor. En las células sensitivas, el cilio es el receptor de los estímulos.

circunvaladas Dícese de las cosas que están rodeadas o cercadas por otras.

conciencia Facultad del hombre de reconocerse a sí mismo por sus atributos y pensamientos. Perder la conciencia equivale a perder el conocimiento que tenemos de las cosas y de nuestra propia existencia, como sucede durante el sueño, un desmayo o bajo los efectos de la anestesia, por ejemplo.

congénito Característica no adquirida, sino que ha nacido con uno. En medicina, las enfermedades congénitas son las que se padecen porque se ha nacido con ellas.

constricción Acción de encoger, de apretar o cerrar al oprimir. En medicina, equivale a estrechez

Glosario

o encogimiento de un vaso u órgano.

cutícula   Palabra que significa película. En anatomía se utiliza para denominar la capa exterior de la piel y otras membranas protectoras.

dérmicas   Relativas a la piel. Es un adjetivo que deriva de la palabra griega «dermos», que significa piel.

diapasón   Instrumento de acero doblado en forma de U, que cuando vibra lo hace con una frecuencia fija y determinada. Es decir, que da una sola nota.

ecografía   Método que proporciona representaciones gráficas de la densidad de determinados tejidos por medio de ondas de ultrasonidos que se reflejan. Es un eficacísimo sistema para el diagnóstico de muchas enfermedades.

eferente   Adjetivo que en anatomía se aplica a aquellas vías que «llevan afuera», o sea, que conducen en sentido centrífugo, desde el interior al exterior. Los nervios motores son vías eferentes, puesto que conducen impulsos nerviosos desde los centros hasta los músculos voluntarios o autónomos.

electroquímicos, impulsos   Impulso o fuerzas de naturaleza eléctrica que se generan en las terminaciones de los nervios sensitivos, como consecuencia que las reacciones electroquímicas que los distintos estímulos desencadenan en ellos. Se trata de procesos químicos que conducen a una transformación de la energía química en energía eléctrica.

epiteliales   Reciben este nombre las células de los tejidos que recubren la epidermis, la parte exterior de las mucosas, la porción secretora de las glándulas y que forman parte de los órganos de los sentidos.

estriada   Se da este adjetivo a todo aquello que tiene estrías o cicatrices a modo de ranuras o cortes que se extienden por toda su superficie. Se aplica a las fibras de los músculos de acción voluntaria (fibras estriadas) porque presentan estrías en el sentido de su longitud.

estricnina   Sustancia venenosa muy activa que se extrae de la semilla denominada nuez vómica.

experiencia   Conocimiento que se adquiere por la práctica o por el simple hecho de vivir. Sabemos «por experiencia» que el fuego quema, lo cual es posible porque la memoria ha guardado la sensación dolorosa experimentada la primera vez que nos quemamos.

extirpación   Acto de arrancar o quitar algo en su totalidad del conjunto al que pertenece, como por ejemplo, un órgano enfermo. Se extirpa un apéndice inflamado, una muela, etc.

fotosensible   Sustancia, órgano, mecanismo, etc., que reacciona cuando la luz incide sobre él.

hemisferio   Cada una de las dos mitades de una esfera y, por extensión, cada una de las mitades de otros cuerpos que, como el cerebro, no son exactamente esféricos.

Glosario

homónimo   Que poseen el mismo nombre.

humor   Cualquier líquido del cuerpo de un animal o de una planta. La sangre, la linfa y la bilis, por ejemplo, son humores del cuerpo humano.

idea   La palabra idea significa, en griego, imagen o figura y se usa para definir aquella «representación» que de los objetos percibidos queda en el intelecto humano y que nos permite reproducirlos mentalmente.

inercia   Incapacidad que tienen los cuerpos de cambiar su estado de reposo o de movimiento, sin la intervención de una fuerza que los modifique al aplicarse sobre ellos.

iones   Átomo o grupo de átomos con carga eléctrica positiva *(cationes)* o negativa *(aniones)*. Muchas sustancias, al disolverse, se ionizan, o sea, se disocian en iones positivos y negativos.

letargo   Estado de somnolencia (adormecimiento) profunda y duradera que, en el hombre, puede ser síntoma de varias enfermedades nerviosas y que, en ciertos animales, conduce a su sueño invernal o hibernación, con la pérdida casi total de su actividad corporal.

lóbulo   Parte que sobresale de un cuerpo a manera de onda. Es una palabra muy usada en zoología y anatomía para denominar órganos o partes de órganos que sobresalen de otros: lóbulos del pulmón, del hígado, del cerebro, etc.

melanina   En el hombre, pigmento negro de las células epiteliales de la coroides y de los cabellos.

melanocitos   Células productoras de la melanina, importante pigmento negro de las células epiteliales, de los cabellos y de la coroides.

membrana   Lámina delgada y flexible, de tejido animal o vegetal, que envuelve algunos órganos y absorbe, despide o segrega líquidos.

micra   Unidad de longitud con la que se miden los cuerpos muy pequeños. Es igual a una millonésima parte de un metro.

movimiento ondulatorio   La física define el movimiento ondulatorio diciendo que es el que resulta de la propagación de una vibración a través de un medio apropiado. Se llama ondulatorio porque la energía de la vibración se propaga en forma de ondas, que se forman como consecuencia de la vibración de las partículas del medio.

neurona   Célula del sistema nervioso que está formada por un cuerpo o soma del que emergen varias prolongaciones. Se encarga de transmitir los impulsos nerviosos.

orgánulos   Cada uno de los pequeños elementos esenciales que forman parte de la célula y que tienen diferentes funciones dentro de la misma, como son la respiración, la alimentación, etc.

otorrinolaringólogo   Médico especialista en enfermedades del oído, de la nariz y de la garganta.

Glosario

Palabra formada por cuatro vocablos griegos: *oto* (oído), *rino* (nariz), *laringo* (garganta) y *logos* (conocimiento, estudio, tratado, etc.)

periférico Que está en la periferia, o sea, alrededor de algo que se halla en el interior de un espacio considerado. Se aplica al sistema nervioso que «sale» de los órganos del sistema central y que, de algún modo constituyen su periferia; sus «alrededores».

polarizado Cuerpo que posee la capacidad de modificar la dirección de los rayos luminosos que pasan a su través para que éstos no se dirijan hacia una dirección que podría dañar la visión.

quinina Sustancia orgánica vegetal, sacada de la corteza del quino, utilizada en forma de sulfato para combatir la fiebre y el paludismo.

radiales Que están situados como si se tratara de los radios de una circunferencia.

reflectante Cuerpo que posee la propiedad de poder cambiar, por reflexión, la dirección de los rayos luminosos al chocar contra su superficie.

rubéola Enfermedad eruptiva similar al sarampión. Generalmente es benigna pero adquiere una especial importancia para las mujeres que esperan un bebé, dado que puede afectar al feto y producirle malformaciones y sordera.

sien Cada una de las dos partes laterales de la cabeza, entre la frente, la oreja y la mejilla.

sincrónico Fenómeno o acción que se produce al mismo tiempo que otro.

soma Parte material del cuerpo humano, excepción hecha de sus células sexuales. En determinados casos, se usa como sinónimo de «cuerpo».

subconsciente Parte de la personalidad de la que no se tiene consciencia. Los conocimientos y recuerdos que se sumergen en el subconsciente, pueden reaparecer en la conciencia y ejercer fuertes influencias en el individuo.

sueño «REM» Siglas de la expresión inglesa «Rapid Eyes Movement» (movimiento rápido de los ojos). Se refiere al hecho que se observa en el individuo dormido cuando entra en una fase de sueño: sus ojos se mueven constantemente con rapidez.

terminación Parte final de una cosa. En anatomía, último tramo de las fibras nerviosas sensitivas, en conexión con los órganos de los sentidos y la piel. En las terminaciones nerviosas se generan los impulsos nerviosos correspondientes a cada estímulo.

umbral Valor mínimo de un estímulo a partir del cual se produce la excitación de un receptor nervioso y se hace posible la sensación correspondiente.

vascularizada Que contiene vasos sanguíneos. Una mucosa se halla muy vascularizada cuando hay en ella una gran cantidad de vasos sanguíneos.

volátil Sustancia que tiene la propiedad de pasar del estado sólido o líquido al de vapor con facilidad.

Índice